Bert Hellinger / Gabriele ten Hövel
Anerkennen, was ist

Bert Hellinger
Gabriele ten Hövel

Anerkennen, was ist

Gespräche über
Verstrickung und Lösung

Kösel

11. Auflage 2000, 75.–84. Tausend

© 1996 by Kösel-Verlag GmbH & Co., München
Printed in Germany. Alle Rechte vorbehalten
Druck und Bindung: Kösel, Kempten
Umschlag: Elisabeth Petersen, München
Umschlagmotiv: Brigitte Smith, München
ISBN 3-466-30400-8

11 12 13 · 03 02 01 00

*Gedruckt auf umweltfreundlich hergestelltem Werkdruckpapier
(säurefrei und chlorfrei gebleicht)*

Inhalt

Vorwort   9

»Leiden ist leichter als Lösen«   13
Das Familien-Stellen   14
Das andere Bild   20
Der Segen des Vaters   21
Die Lösung   25
Was in Familien krankmacht   27
Die Anmaßung und ihre Folgen   29
Täter und Opfer   34

»Ich füge mich der erkannten Wirklichkeit«   37
Phänomenologische Psychotherapie

»Jeder ist auf seine Weise nur verstrickt«   45
Die Rolle des Gewissens

**»Wer sich zu gut ist, böse zu sein, zerstört
die Beziehung«**   54
Ausgleich, Liebe, Rache

»Wer im Einklang ist, kämpft nicht«   60
Über Bestimmung

»Das Große liegt im Gewöhnlichen«   64
Meditation und spirituelle Wege

»Fortschritt ist mit Schuld verbunden«   71
Treue und Rebellion

»Das Sein ist jenseits von Leben«   76
Über den Tod

»In der Seele an Größeres rühren«   81
Wie Lösungen gelingen

»Ordnungen werden gefunden«   93
Erfahrung, Freiheit, Ideologie

»Auf die Liebe ist immer Verlaß«   97
Therapie und Familie

»Triumph ist Verzicht auf Erfolg«   107
Die Unterscheidung der Gefühle

»Besserwisser weigern sich zu wissen«   119
Über Wissen und Wahrnehmen

»Sünden haben auch gute Folgen«   124
Die subversive Seite der Ordnung

»Psychokapitalisten übelster Sorte«   129
Selbstverwirklichung, Bindung, Fülle

»Kinder gehören zu ihren Eltern«   136
Über Adoption und Inzest

»Sexualität ist größer als die Liebe«   145
Über Liebe, Gewalt und Bindung

»Aus der Entrüstung kommt wenig Gutes«   156
Über Politik und Engagement

»Die Hoffnung auf ewigen Frieden lasse ich
fallen«   165
Die Illusion der Macht

»Das Glück ist eine Leistung der Seele«   169

»Die Seele richtet sich nach anderen Gesetzen
als dem Zeitgeist«   173
Über Mann und Frau

»In Sorge für die nachwachsende Generation«   185
Über Engagement und Ausgleich

Glossar   193

Veröffentlichungen   199

Vorwort

Bert Hellinger hat meinen Kopf verwirrt und meine Seele erreicht. Er hat mich verunsichert, empört und neugierig gemacht. Vieles an seinen Gedanken kam mir auf den ersten Blick so furchtbar bekannt vor:

»Mutterschaft ist was Großes« – o Gott! »Den Vater und die Mutter ehren« – wie katholisch! »Die Eltern nicht bekämpfen, sondern so nehmen, wie sie sind« – aber sie haben mir doch ganz schön was angetan! »Die Frau soll dem Mann folgen!« Und so einen findest *Du* gut?

Ja. Seine therapeutische Arbeit hat mich ungemein fasziniert. Drei Tage lang habe ich ihm zugeschaut, wie er vor einer Gruppe von 400 Menschen mit Kranken gearbeitet hat. Das war zunächst wie Theater. Spannend, anrührend und so richtig aus dem Leben gegriffen. Aber aus den anfangs unbeteiligten Zuschauern werden unmerklich Mitwirkende in einem Drama, das eigene Familie heißt. Plötzlich klopft ganz unvermittelt die eigene Geschichte an, Ereignisse, die bisher eher nebensächlich erschienen, werden bedeutend: »Ach ja, da gibt es doch noch diese Halbschwester!« Mit einem Mal fließen Tränen, weil sich da eine vor ihrer Mutter verneigt – verdammt! Was ist *das* denn! Und abends kriecht die Erschöpfung hoch – Gott weiß warum, »ich habe doch › nur‹ zugeschaut!«

Was bewirkt, daß die frommen Worte in der therapeutischen Arbeit auf einmal sinnvoll werden? Demut gegenüber den Eltern, den »Segen« des Vaters erbitten? Was ist wahr daran, wenn einer Entschuldigung »vermessen« und Verzeihen »anmaßend« nennt?

Was leitet das Denken dieses Mannes hinter seinem therapeutischen Handeln, und wie kommt er dazu, seinen Finger treffsicher auf blinde Flecken eingefahrenen aufklärerischen Denkens zu legen? Warum schaut er

– auf die Liebe beim Inzest (da ist man doch empört!),
– auf die Unentrinnbarkeit von Schuld im Nazi-Kontext (die hätten doch wissen und kämpfen müssen!),
– auf die Entrüstung als gewalttätige Energie (man muß doch gegen Unrecht kämpfen!),
– auf die Achtung des Männlichen bei aller Emanzipation (wo soll die herrühren bei so viel männlicher Verachtung für das Weibliche!),
– auf die Schuld von Adoptiveltern ihrem adoptierten Kind gegenüber (Adoption ist doch eine große soziale Tat!),
– auf die Bindung an die Familie als Quelle von Freiheit (man muß sich doch emanzipieren von den Eltern!),
– auf Versöhnung mit dem Schicksal (ich nehme mein Schicksal in die eigene Hand!).

So viele Fragen kamen da in meinem Kopf zusammen! Doch der Kern meiner Faszination für Hellingers Arbeit war einfach mein Berührtsein. Ob ich ihn live erlebte, in seinen Büchern schmökerte oder später dann stundenlang mit ihm sprach: immer empfand ich danach so etwas Merkwürdiges wie Friedlichkeit, Entspannung, so eine gelassene Heiterkeit mir und der Welt gegenüber. Woran das liegt? Vielleicht hat es etwas damit zu tun, daß da einer beharrlich nach der Liebe als Quelle von Verstrickung, Leiden und Krankheit sucht.

Hellingers Sprache kommt mitunter etwas altertümlich daher. Wenn er von Demut, Güte oder Gnade spricht, vom Segen des Vaters, vom Leben als Geschenk oder von Versöhnung, erreicht er damit eine Sphäre seelischen Erlebens, für die die moderne, analytisch orientierte Psychologie keine Worte hat. Es ist, als baue er eine Brücke zu einer Lebenswirklichkeit, die keine Sprache hat für die tiefsten Regungen der Seele. Das alles war mir auch etwas unheimlich. Wer ist dieser Mann, der mich jenseits des Verstandes auf einem ganz anderen Bein erwischt?

Bert Hellinger kann schroff sein zu seinen Klienten, beharrlich und – gelinde ausgedrückt – bestimmt (manche sagen autoritär), wenn er es für nötig hält. Er scheut sich nicht, knallharte Einsichten offen auszusprechen – andere wagen sie höchstens zu denken! Er ist kein Mann der Rück-sicht, sondern einer der Vor-sicht.

Der Psychotherapeut, der sich lieber Seelsorger nennt, düpiert die selbsternannten Anwälte aller Armen und Entrechteten, Witwen und Waisen, seien es Therapeuten, Priester oder Engagierte, die gerne in Sachen Hilfe unterwegs sind. Das Vokabular des guten Menschen und der großen Ziele aufklärerischer Erziehung oder Therapie – irgendwie wirkt es etwas blaß, aufgeblasen und kraftlos gegenüber seiner einfachen Sprache. Und dann will dieser Hellinger gar nicht viel wissen! Wie komisch!

Gemeinhin geht es beim Therapeuten viel darum, die letzten Winkel des persönlichen Leids mundgerecht zu präsentieren. Hellinger will »nur« Ereignisse wissen – nicht, was sich jemand dazu denkt oder wie er »gerade jetzt« fühlt. Nein: »Na los, stell erstmal deine Familie auf«, unterbricht er Ansätze von Klageliedern auf böse Väter oder verschlingende Mütter.

Einmal hat er mit einem Mann gearbeitet, der seine Frau und seinen Sohn bei einem Unfall verloren hat. Diese Schilderung des Geschehens hat den ganzen Raum gelähmt, so schrecklich war sie. Und Hellinger steht ihm gegenüber, hört zu, seine Stimme wird weich. »Nun stell mal auf«, sagt er, und versteht es auf unnachahmliche Weise, mit diesem Mann den Tod seiner Lieben anzusehen, um ihn ins Leben zurückzubegleiten – ganz ruhig, mit wenigen Worten und einer gütigen

Sicherheit, die alle im Raum trägt. Auch das ist er. Ein weicher, warmherziger Mann, ganz gesammelt in seinem Mitgefühl.

Und irgendwann haben wir dann tatsächlich zusammengesessen, erst im Rundfunkstudio, dann in seinem Arbeitszimmer, und einen rasanten Fragenkatalog abgearbeitet. Wie gut, daß er mitgemacht hat! Nicht alles ist bis ins Letzte geklärt. Aber genug fürs erste.

Die Gespräche mit Bert Hellinger laden ein zu einem Wechselbad der Gedanken und Gefühle. Er provoziert, fasziniert, berührt und ärgert. Diese Mischung nährt den Geist und bringt das Denken in Gang, wo es sich sonst zufrieden zurücklehnt. Und irgendwie geht man danach etwas nachsichtiger in die Welt.

Gabriele ten Hövel

»Leiden ist leichter als Lösen«

Dieses erste Kapitel ist die Wiedergabe einer Radiosendung, mit der den Hörern des Südfunks 2 Stuttgart Bert Hellingers Arbeitsweise vorgestellt wurde. Es steht am Anfang der Gespräche in diesem Buch, da es der Einführung in Hellingers Denken und Tun dient.

Gabriele ten Hövel: *»Systemische Familientherapie«, was ist das?*

Bert Hellinger: Bei der systemischen Familientherapie geht es darum, herauszufinden, ob jemand innerhalb der erweiterten Familie in die Schicksale früherer Familienmitglieder verstrickt ist. Das kann man durch Familienaufstellungen ans Licht bringen. Wenn das am Licht ist, kann sich jemand leichter aus seinen Verstrickungen lösen.

Was sind »Familienaufstellungen«? Bringen wir gleich einmal ein Beispiel, dann können wir besser darüber reden. Es stammt aus einem Seminar von Bert Hellinger im Rahmen eines Kongresses in Garmisch. Er hat dort mit Kranken gearbeitet.
Die Kranken sitzen in einem großen Kreis, und um diesen Kreis herum sitzen ungefähr 400 Tagungsteilnehmer, die zuschauen. Die Arbeit beginnt damit, daß Bert Hellinger die Kranken fragt, was ihnen fehlt.
Ein junger Mann leidet seit seinem 18. Lebensjahr an einer Krankheit, die sich in Herzrasen und vegetativen Störungen äußert. Bert Hellinger befragt ihn:

Klient: Es gibt viele Konflikte in der Familie. Meine Mutter und mein Vater leben getrennt. Meine Mutter und mein Großvater sind zerstritten. Es gibt viele praktische Probleme, z.B. wie kriege ich die alle miteinander zur Hochzeit.

H. (zum Publikum): Bei dieser Arbeit sind nur ganz wenige Informationen wichtig. Nämlich äußere, einschneidende Ereignisse, nicht was Leute sonst denken oder tun. Eines hat er genannt: Die Eltern sind getrennt. Andere einschneidende Ereignisse sind z.B. der Tod von Geschwistern oder wenn jemand ausgeklammert oder ausgestoßen wurde. Oder frühe Krankenhausaufenthalte oder Komplikationen bei der Geburt, oder wenn die Mutter bei der Geburt starb. Um solche Dinge geht es.

(zum Klienten): Gibt es bei dir solche einschneidenden Ereignisse?

Klient: Die Zwillingsschwester meiner Mutter starb.

H.: Das genügt mir schon. Das ist etwas so Einschneidendes, daß es wahrscheinlich alles andere überdeckt. Stelle also erst mal die Ursprungsfamilie auf. Dazu gehören die Mutter, der Vater, wieviel Kinder?

Klient: Ich habe noch eine jüngere Schwester.

H.: O.k., die vier Personen stellst du jetzt auf. Du suchst dir aus dem Publikum jemanden, der deinen Vater vertritt, dann jemanden für deine Mutter, deine Schwester und dich. Nimm irgend jemand. Es genügt, wenn du die vier aufstellst.

Dann gehst du zu jedem hin, nimmst ihn mit beiden Händen und stellst ihn an seinen Platz, ohne etwas zu sagen. Und die Stellvertreter sagen auch nichts. Stelle sie in Beziehung zueinander, wie es dem inneren Bild der Familie entspricht, ganz aus dem Vollzug.

Das Familien-Stellen

Der Mann wählt jetzt aus dem Publikum Stellvertreter für Vater, Mutter und Geschwister, ganz fremde Menschen, und stellt sie zueinander, so wie er das im Moment empfindet. In diesem Fall stand der Vater abgewandt von der Mutter. Der Sohn dagegen, der den Klienten repräsentierte, stand gegenüber der Mutter. Da stehen dann völlig fremde Menschen, ganz zufällig ausgewählt, ohne den Klienten und ohne auch dessen Familiengeschichte zu kennen. Was soll da geschehen?

Das ist das Merkwürdige bei diesen Aufstellungen: Die ausgewählten Personen, die die Familienmitglieder vertreten, fühlen wie die wirklichen Personen, sobald sie in dieser Aufstellung stehen. Sie bekommen zum Teil sogar die Symptome, die diese Familienmitglieder haben, ohne daß sie davon etwas wissen. Zum Beispiel bekam einer mal einen epileptischen Anfall, als er einen Epileptiker vertreten hat. Oder oft bekommt jemand Herzrasen oder eine Körperseite wird kalt. Bei der Nachfrage stellt sich heraus, daß es bei der Person, die er darstellt, wirklich so ist. Das läßt sich nicht erklären. Man kann es aber bei solchen Aufstellungen hunderte und tausende Mal nachprüfen.

Wodurch wirkt diese Aufstellung, was können Sie daraus ersehen?

Also ich ersehe daraus, welche Beziehung die Familienmitglieder zueinander haben. Hier ist z.B. sehr bedeutsam, daß der Vater abgewandt steht und der Sohn unmittelbar der Mutter gegenüber. Wenn man das auf sich wirken läßt, sieht man, wo das Problem liegt.

Sie sprechen von »Verstrickung«. Was meinen Sie damit?

Verstrickung heißt, daß jemand in der Familie unbewußt das Schicksal eines Früheren noch einmal aufnimmt und lebt. Wenn z.B. in der Familie ein Kind weggegeben wurde – das kann auch in der Generation vorher sein –, dann wird sich später jemand so verhalten, als sei auch er weggegeben. Er kann sich nicht daraus lösen, bevor er nicht weiß, daß er verstrickt ist.

Die Lösung geht den umgekehrten Weg: die weggegebene Person wird ins Spiel gebracht. Sie wird z.B. in der Familienaufstellung dazugestellt. Plötzlich wird die ausgeklammerte Person für den, der mit ihr identifiziert war, ein Schutz. Wenn sie wieder aufgenommen und gewürdigt wird, ist sie freundlich zu den Nachfahren.

Das ist so einfach nicht zu verstehen. Man wiederholt ein Schicksal, das man gar nicht kennt. Die tote Tante z.B. hat der Klient ja nie kennengelernt. Woher kommt dann die Verstrickung? Hat das etwas mit dem zu tun, was Sie »Sippengewissen« nennen?

Genau. Es gibt offensichtlich ein Gruppengewissen. Zur Gruppe, in der dieses Gewissen wirkt, gehören die Kinder, die Eltern, die Großeltern, die Geschwister der Eltern und solche, die Platz gemacht haben, z.B. frühere Ehepartner oder Verlobte der Eltern. Wenn jetzt einem von diesen Unrecht geschah, gibt es in dieser Gruppe ein unwiderstehliches Bedürfnis nach Ausgleich. Das heißt, das Unrecht, das in früheren Generationen geschah, wird später noch einmal von jemand dargestellt und erlitten, damit es endlich in Ordnung gebracht werden soll. Das ist sozusagen ein systemischer Wiederholungszwang. Diese Art von Wiederholung bringt aber nie etwas in Ordnung.

Diejenigen, die das Schicksal eines Ausgeklammerten auf sich nehmen müssen, werden vom Gruppengewissen ungerecht in die Pflicht genommen. Sie sind ja völlig unschuldig. Denjenigen dagegen, die wirklich schuldig wurden, z.B. weil sie ein Familienmitglied weggegeben oder ausgestoßen haben, geht es vielleicht dennoch gut.

Das Gruppengewissen kennt also keine Gerechtigkeit für die Nachfahren, sondern nur für die Vorfahren. Offensichtlich hat das zu tun mit einer Grundordnung in den Familiensystemen. Sie richtet sich nach dem Gesetz: Wer einmal zu dem

System gehört, der hat gleiches Recht auf Zugehörigkeit wie alle anderen auch. Wenn aber jemand verteufelt oder ausgeklammert wird, dann sagen einige: »Du hast weniger Recht dazuzugehören als ich.« Das ist das Unrecht, das durch Verstrickung gesühnt wird, ohne daß es die Betroffenen wissen.

Können Sie ein Beispiel dafür nennen, wie das über Generationen wirkt? Wie soll man sich das vorstellen?

Ich kann ein ganz schreckliches Beispiel nennen. Vor einiger Zeit kam ein Rechtsanwalt ganz aufgelöst zu mir. Er hatte in seiner Familie nachgeforscht und folgendes herausgefunden: Die Urgroßmutter war verheiratet und hat, während sie von diesem Mann schwanger war, einen anderen Mann kennengelernt. Daraufhin starb der erste Mann mit 27 Jahren am 31. Dezember, und es besteht der Verdacht, daß er ermordet wurde. Später hat diese Frau den Hof, den sie von diesem Mann geerbt hatte, nicht dessen Sohn gegeben, sondern dem Sohn aus der nächsten Ehe. Das war ein großes Unrecht.
In der Zwischenzeit haben sich in dieser Familie drei Männer im Alter von 27 Jahren am 31. Dezember umgebracht. Als der Rechtsanwalt das sah, kam ihm, daß ein Cousin gerade 27 geworden war und daß der 31. Dezember nahte. Er fuhr zu ihm hin, um ihn zu warnen. Der Cousin hatte schon eine Pistole gekauft, um sich zu erschießen. So wirken Verstrickungen.
Später kam dieser Rechtsanwalt noch einmal zu mir und war in extremer Selbstmordgefahr. Ich habe ihn gebeten, sich mit dem Rücken gegen eine Wand zu stellen und habe ihm dann gesagt, er möge sich den toten Mann vorstellen und ihm sagen: »Ich gebe dir die Ehre. In meinem Herzen hast du einen Platz. Und ich werde das Unrecht, das dir angetan wurde, beim Namen nennen, so daß es gut werden kann.« Daraufhin war er von seiner Panik befreit.

In unserem Beispiel kommt als nächster Schritt, daß sich der junge Mann, der seine Familie aufgestellt hat, hinsetzt. Er schaut zu, was Bert Hellinger jetzt tut. Der befragt nun die aufgestellten Familienmitglieder, wie es ihnen geht.

H.: Wie geht es dem Vater?

Vater: Ich spüre im Moment noch nicht, wie es mir geht.

Mutter: Ich fühle mich ein bißchen isoliert, und wenn das mein Mann ist, ist er zu weit weg. Und irgendwie spüre ich eine besondere Beziehung zu meinem Sohn.

H. (zum Publikum): Wen muß der Sohn repräsentieren? – Die tote Zwillingsschwester der Mutter. Stellt euch vor, was das heißt für ein Kind.
Wie geht es dem Sohn?

Sohn: Ich merke, daß ich hier aus der Reihe bin. Ich stehe denen gegenüber. Ich merke auch, daß zur Mutter hin eine intensive Bindung ist.

H.: Wie geht es der Schwester?

Schwester: Mir geht es nach links schlecht, da ist es mir zu eng. Zum Bruder hin ist es am ehesten interessant.

H. (zum Publikum): Wenn man bei einer Familienaufstellung sieht, daß eine Person ausgeklammert ist und nicht erscheint, dann ist der nächste Schritt, daß man diese Person ins Spiel bringt. Ich werde jetzt die Zwillingsschwester ins Spiel bringen.
(zum Klienten): Wieso ist die gestorben?

Klient: Das war besonders tragisch. Es war nach dem Krieg. Mein Großvater ist gerade zurückgewesen und hat am Sonntagnachmittag irgend etwas mit dem Lastwagen ausfahren müssen. Er hat das Kind und die Großmutter mitgenommen. Das Kind hat beim Losfahren an der Tür gespielt und ist herausgefallen und vom eigenen Vater überfahren worden. Das war sehr schlimm. Das Kind war 7 Jahre alt.

H.: Wähle jetzt jemanden für die Schwester der Mutter und stelle sie neben die Mutter, ganz nah.
(zur Mutter): Wie geht's dir jetzt?

Mutter: Besser, aber es ist sehr nah.

H.: Ja, das muß es auch sein. – Wie geht es der toten Schwester?

Verstorbene Schwester: Ich finde das sehr angenehm, so nah zu stehen.

H.: Was ist beim Sohn verändert jetzt?

Sohn: Ich merke, daß die Beziehung zur Mutter jetzt nicht mehr so stark ist. Daß sie mehr zum Vater geht.

H. (zum Publikum): Genau. Er ist dadurch, daß sie hereinkommt, entlastet.
Ist beim Mann etwas verändert?

Mann: Ich fühlte mich isoliert. Schon durch die Haltung, daß ich wegschaue von der Familie und mich immer bemühen muß, mitzukriegen, was da läuft.

H.: Also, systemisch gesehen hat dieser Mann überhaupt keine Chancen bei der Frau. Die Frau ist so gebunden an ihre Herkunftsfamilie und an ihre Zwillingsschwester, daß sie sich einem Mann gar nicht zuwenden kann. Daher ist diese Beziehung von vornherein zum Scheitern verurteilt. – Aber die Kinder müssen zum Vater.

(H. stellt den Sohn und die Tochter dem Vater gegenüber)

H. (zum Sohn): Wie geht es dir da?

Sohn: Es fühlt sich harmonischer an. Ich merke jetzt die stärkere Beziehung zum Vater. Die Schwester neben mir stärkt irgendwie.

H. (zur Tochter): Wie geht es dir jetzt?

Tochter: Auch besser. Mir ging es aber schon vorhin besser, als die Zwillingsschwester aufgetaucht ist.

Vater: Ich fühle mich wesentlich wohler, wenn ich ein Gegenüber habe, das mich anschaut.

H.: Der Sohn muß eine Zeitlang neben dem Vater stehen. So richtig ganz nah. Da ist für ihn die heilende Kraft.
(zum Klienten): Kannst du das nachvollziehen?

Klient: Etwas. Also, jahrelang war gar kein Kontakt zu meinem Vater. Jetzt, die letzten Jahre, haben wir uns gegenseitig besucht und es geht viel darum, daß er Erwartungen an mich hat, wo ich das Gefühl habe, die kann ich gar nicht erfüllen.

H.: Du mußt ihn bitten, daß er dich segnet.

Das andere Bild

Sie fragen ja zwischendurch den Klienten. Auch am Schluß sehen Sie mit dem Klienten gemeinsam die Aufstellung an, oder er nimmt den Platz seines Stellvertreters in der Aufstellung ein. Was geschieht beim Klienten durch diese Aufstellung?

Er sieht zuerst einmal, daß er ein verkürztes Bild seiner Familie in sich trug. Z.B. war hier die Zwillingsschwester ausgeklammert. Er sieht, daß er sie für seine Mutter ersetzen mußte. Und er sieht, daß sein Vater weg wollte.
Wenn jetzt die ausgeklammerte Person hereinkommt, verändert sich das Bild. Die Kinder gehen zum Vater, anstatt weiter bei der Mutter zu stehen, und die Mutter wird mit ihrer Zwillingsschwester allein gelassen, weil sie an die gebunden bleibt. Dadurch bekommt der Klient ein anderes Bild seiner Familie. Plötzlich sieht er, daß es die Mutter ist, die weggehen will, und daß an ihrer Stelle der Mann gegangen ist. Das gibt es häufig, daß ein Partner für den anderen geht, obwohl eigentlich der andere gehen muß.

Die Kinder stehen jetzt nicht mehr bei der Mutter, sondern beim Vater. Jetzt geht vom Vater eine heilende Kraft aus. Der Klient, der so lange bei seiner Mutter stand und weg vom Vater, muß sich jetzt zu seinem Vater stellen. Dann fließt die männliche Kraft vom Vater in ihn hinein.

Aber das genügt noch nicht. Er war ja im Konflikt mit seinem Vater, eben weil er bei der Mutter stand. Jetzt muß er den Vater für sich gewinnen. Er braucht seinen Segen.

Der Segen des Vaters

Segen, das hat ja was sehr Religiöses.

Ja, das hat es. Ein Mensch kommt, genaugenommen, nicht von den Eltern, sondern durch die Eltern. Das Leben kommt von weit her, und wir wissen nicht, was das ist. Das Hinschauen dorthin, das ist religiös. Wir schauen dann nicht auf das Nahe, sondern auf den Urgrund, ohne ihn zu benennen.

Wenn daher dieser Sohn sich vor seinem Vater verneigt und ihn um seinen Segen bittet, dann fügt er sich ein in diesen Strom. Daher kommt dieser Segen auch nicht vom Vater, nicht allein vom Vater, er kommt von weither über den Vater zu ihm. Insofern ist auch das religiös. Die Kraft, die dieser Segen hat, ist nicht etwas, das in der Hand des Vaters liegt.

Wer das Leben so genommen hat, der ist im Einklang mit seiner Herkunft; der ist in der Zustimmung zu seinem besonderen Schicksal, das durch die Eltern weitgehend bestimmt ist. Durch die Eltern hat er seine Möglichkeiten und seine Grenzen. Wenn er beidem zustimmt, ist das wie Hingabe an die Welt, wie sie ist. Und das ist religiös.

Insofern haben diese Aufstellungen etwas von Liturgie an sich, sie sind ein heilender Ritus. Aber keiner, der von außen auferlegt ist, er ergibt sich aus der Dynamik der Aufstellung. Deswegen muß man sehr vorsichtig sein und sehr behutsam und ehrfürchtig damit umgehen.

In der Liturgie ist der Priester das Entscheidende. In dieser Art der Aufstellung ist es ja auch nicht so, daß der Klient etwas Großes tun würde. Er schaut zu, wie der Therapeut die Aufstellung so verändert, daß sich die Familienmitglieder alle wohler fühlen. Das ist eine sehr passive Art, sich therapieren zu lassen.

Der Klient stellt das System auf und insofern ist er sehr aktiv. Erst wenn er es aufgestellt hat, helfe ich ihm, die Ordnung zu finden. Zum Schluß, wenn es um die Lösung geht, wenn er z.B. seinen Vater bittet: »Bitte segne mich«, wird der Klient wieder aktiv. Wenn einer nur passiv ist, breche ich sofort ab. Wenn mir jemand zuschiebt, daß ich für ihn arbeite, breche ich sofort ab. Mit dem arbeite ich nicht.
Aber was Sie gesagt haben über das Priesterliche, enthält eine große Wahrheit. Als Therapeut fühle ich mich im Einklang mit einer größeren Ordnung. Nur weil ich in diesem Einklang bin, sehe ich die Lösung und bringe sie in Gang. Deswegen ist ein Therapeut, der solche Arbeit macht, sehr aktiv. Es ist manchmal erschreckend für andere, wenn sie das sehen. Das ist ein Handeln wie mit hoher Autorität.

Viele sagen, es sei autoritär.

Ja, das höre ich oft. Aber diese Art von Autorität kann man nur mit äußerster Demut ausüben, nämlich im Einklang. Ich übe sie aus, weil ich mich im Einklang fühle mit der Wirklichkeit, die vor mir abläuft. Vor allem fühle ich mich im Einklang mit denen, die ausgeklammert sind.

Die Ausgeklammerten, das sind die, die in einer Familie hinten heruntergefallen sind, aus irgendeinem Grund.

Denen die Ehre verweigert wird oder denen die Zugehörigkeit, die Ebenbürtigkeit, verweigert wird.

Also in dem Fall wäre das die tote Zwillingsschwester. Aber das ist doch als Fakt in dieser Familie offensichtlich bekannt gewesen?

Ja. Aber was geschieht bei so einem großen Unglück? Es macht Angst in dem System, so daß man davon nichts mehr wissen will und sich dem nicht stellt.

Dieser Klient hat mir vor ein paar Wochen einen Brief geschrieben. Aus dem wurde klar, daß er auch den Großvater nachahmen will, weil er so großes Mitleid mit ihm hat. Dem muß es ja sehr schlimm ergangen sein.

Ich habe ihm geantwortet, daß er dem Großvater sein Schicksal zumuten muß.

Der Großvater ist derjenige, der den Tod dieser Zwillingsschwester verursacht hat.

Ja. Niemand darf ihn trösten. Das geht nicht. Die Würde eines solchen Mannes verlangt, daß man ihn das tragen läßt. Dann ist er groß. Niemand darf da eingreifen.

Wenn ich das so sage, bin ich auf der einen Seite hart. Auf der anderen Seite bin ich ehrfürchtig und im Einklang mit diesem Großvater, weil ich ihn achte. Wenn ich das so mache, wird auch der Enkel frei.

Sie haben in diesem letzten Ausschnitt aus der Aufstellung gesagt: »In dieser Beziehung hat der Mann keine Chance, diese Beziehung ist von vornherein zum Scheitern verurteilt.« Das klingt auch sehr apodiktisch, sehr hart.

Aber es ist nicht etwas, das ich mir ausdenke. Wenn ein Zwilling früh gestorben ist, vor allem wenn es auf diese Weise geschah, dann will der andere ihm nachfolgen. Diese Frau wird nicht loskommen von ihrer Zwillingsschwester, auch wenn sie möchte. Das scheint sehr hart.

Ich könnte sie jetzt rechts neben den Mann stellen und die Zwillingsschwester rechts neben sie. Dann wäre die Zwillingsschwester mit hereingenommen. Aber aus meiner Erfahrung weiß ich, in so einem Fall wird das nicht helfen. Das Schicksal ist so groß, daß die Mutter hinaustendiert. Man muß sie in ihre Ursprungsfamilie ziehen lassen.

Nicht, daß sie sich jetzt umbringt oder so. Aber sie kann das Glück neben einem Mann nicht ertragen, wenn ihre Zwillingsschwester so unglücklich war. Das ist eine ganz tiefe Liebe, die da wirkt. Wenn ich das achte, ist die Mutter voll mit ihrem Schicksal konfrontiert und fühlt sich leichter, denn sie ist jetzt verbunden mit ihrer Zwillingsschwester, die vorher ausgeklammert war. Aber daß sie glücklich neben ihrem Mann leben kann, das würde all meiner Erfahrung widersprechen. Man darf diese tiefen Bindungen nicht unterschätzen.

In diesem Fall haben Sie mit dem jungen Mann eine kleine Übung gemacht.

H. (zum Klienten): Geh rüber zur toten Zwillingsschwester und verneige dich ganz sanft, mit Respekt. Dann mache es vor den Großeltern. Mache es mit Respekt und Achtung vor ihrem Schicksal.

(Der Klient verneigt sich)

Richte dich auf und schau sie alle an. Die Zwillingsschwester hast du noch nicht angeschaut. Schau der Tante in die Augen. Tief atmen und verneige dich wieder ganz sachte. Den Mund auflassen dabei, tief atmen. Laß den Schmerz kommen. Das ist ein Schmerz, der ehrt deine Tante. Schau sie wieder an.

(zum Publikum): Jetzt sieht man den Unterschied in den beiden Gesichtern, von ihr und von ihm. Er kann das nicht nehmen, was sie ihm anbietet. Die Krankheit ist leichter für ihn, als von der Tante den Segen zu nehmen.

Damit haben Sie die Aufstellung beendet. Aus dem Publikum kam die besorgte Frage: Was geschieht jetzt, lassen Sie den jungen Mann einfach so gehen?

H. (zum Publikum): Die Frage der Teilnehmerin war: Wie geht das weiter? Sie meint, es müßte weitergehen. Es geht nicht weiter. Er hat die Lösung verweigert.

Damit wird etwas ganz Wichtiges sichtbar: Das Problem und das Leiden ist leichter als die Lösung. Das hat damit zu tun, daß das Leiden oder das Aufrechterhalten des Problems ganz tief verbunden ist mit einem Gefühl der Unschuld oder der Treue, und zwar auf einer magischen Ebene. Damit wird die Hoffnung verbunden, daß das eigene Leiden einen anderen rettet.

Wenn der Klient jetzt sieht, daß die Tante gar keine Rettung braucht, ist das für ihn eine tiefe Enttäuschung. Dann war ja alles, was er bisher für sie gemacht hat, umsonst. So etwas anerkennt einer nicht leicht. Lieber hält er das Problem aufrecht, auch wenn er die Lösung gesehen hat.

Der Therapeut darf da nicht eingreifen oder irgend etwas anderes tun. Ich überlasse ihn seiner guten Seele. Das ist alles, was ich tun kann.

Die Lösung

Normalerweise ist das ja ein Punkt, wo sonst mit der therapeutischen Arbeit fortgefahren wird. Sie hören einfach auf?

Der Klient hat mir vor einiger Zeit einen Brief geschrieben, aus dem ich sehen konnte, daß seine gute Seele weitergewirkt hat. Ihm wurde nachträglich klar, daß er den Segen der

Zwillingsschwester nicht nehmen konnte, weil er mit seinem Großvater identifiziert war. Der Großvater kann die Liebe nicht nehmen von seinem Kind.

Der Großvater, der den Tod des Kindes verursacht hat.

Ja. Der hält seine Schuld für so groß, daß er die Entlastung, daß sein Kind, das er überfahren hat, ihn freundlich anlächelt, nicht nehmen kann. Der Klient war in dem Augenblick mit dem Großvater identifiziert. Weil seine gute Seele in der Zwischenzeit weitergewirkt hat, konnte ich ihm jetzt weiterhelfen. Ihm wurde klar, was mit dem Großvater ist. Ich habe ihm gesagt, er muß das Leid beim Großvater lassen: dann ist er frei.

Wenn Sie sagen, ich konnte ihm helfen, was bedeutet das konkret? Ist seine Krankheit besser geworden?

Ich konnte ihm helfen, daß er sich aus der Identifizierung mit dem Großvater löst. Der Großvater ist sicherlich jemand, der aufgrund dieses Ereignisses ein Bedürfnis nach Sühne hat. Und Krankheit ist manchmal ein Bedürfnis nach Sühne. Es könnte sehr wohl sein, daß die Krankheit des Klienten auch der Sühne dient, aber anstelle des Großvaters. Wenn der Klient sich aus dieser Identifizierung löst, kann sich vielleicht auch die Krankheit bessern. Aber das weiß ich nicht. Es ist auch nicht das, worum ich mich direkt kümmere.

Ich kümmere mich um die Kräfte, die in der Seele heilend wirken und die in der Familie wirken. Wenn diese guten Kräfte zum Zuge kommen, kann es sein, daß sich auch eine Krankheit bessert. Das ist aber nicht mein unmittelbares Ziel. Mein Ziel liegt mehr im Bereich der Seele und der Familie. Wenn dadurch auch die Krankheit besser wird, soll es mir recht sein. Aber das ist ein Bereich, den ich lieber den Ärzten überlasse. Die sind dafür zuständig. Ich mische mich nicht in etwas ein, das über meine Kompetenzen geht.

Was in Familien krankmacht

Sie arbeiten ja mit Kranken, die in ärztlicher Behandlung sind. Das heißt, die Ärzte kommen mit ihren Patienten zu Ihnen, und dann arbeiten sie gemeinsam. Sie sagen einerseits, Krebs habe etwas zu tun mit einer nicht vollzogenen Verneigung, oder Bauchbeschwerden haben etwas zu tun mit einem ungeklärten Verhältnis zur Mutter. Aber Sie sagen nicht: Ich heile das dadurch, daß ich diese Familienaufstellung mache.

Was ich in meiner Arbeit mit Kranken herausgefunden habe, ist, daß die gleiche Grunddynamik zu verschiedenen Krankheiten führt. Ich arbeite nur mit den Grunddynamiken.

Es gibt in Familien das Bedürfnis, daß ein Kind einem toten Geschwister oder einer toten Mutter oder einem toten Vater nachfolgen will. Dann sagt es innerlich: »Ich folge dir nach.« Wenn jemand in dieser Situation ist, kann es sein, daß er sich umbringt, es kann sein, daß er Krebs oder eine andere Krankheit bekommt. Also die gleiche Grunddynamik kann sich in verschiedener Weise äußern. Deswegen wäre es ja auch verkehrt, wenn ich den Krebs heilen will, ohne daß ich diese Grunddynamiken beachte.

Es gibt im Grunde nur drei Grunddynamiken:

- die Tendenz: »Ich folge dir nach in den Tod oder in die Krankheit oder in das Schicksal«;
- die andere ist: »Lieber sterbe ich als du« oder »Lieber gehe ich als du«;
- und die dritte: Sühne für persönliche Schuld.

In der Aufstellung, die wir als Beispiel gebracht haben, war es wahrscheinlich so, daß der Mann sagt: »Lieber gehe ich aus der Familie als du, meine liebe Frau.«

Warum tut er das?

Es ist unbewußt, völlig unbewußt. Auch Kinder machen das so. Z.B. wenn sie sehen, daß einer der Eltern jemandem nachfolgen will. Hier in unserem Beispiel will die Mutter ihrer toten Zwillingsschwester nachfolgen. Dann sagt der Sohn: »Lieber werde ich krank oder sterbe als du.« Das wäre hier eine mögliche Dynamik.

Lassen Sie uns zu einem zweiten Beispiel kommen und damit zum Verhältnis zwischen Eltern und Kindern.
Es geht um eine Frau, die seit zwölf Jahren Multiple Sklerose hat. Sie erzählt von ihrem Vater, der Nazi war und der im Krieg für den Tod von zwei Deserteuren verantwortlich war. Wieder waren es fremde Menschen aus dem Publikum, die die Rolle der Familienmitglieder übernommen haben.
Sie haben den Vater in diesem Fall vor die Türe geschickt. Warum haben Sie das getan?

Also, das ist jetzt eine der großen Ausnahmen in der Familientherapie. Mörder verlieren in der Regel ihr Recht auf Zugehörigkeit. Wer für den Tod von jemand in dieser schuldhaften Weise verantwortlich ist, der hat sein Recht auf Zugehörigkeit verspielt. Der muß aus diesem System hinausgehen. Das Hinausgehen aus der Tür heißt, daß derjenige die Zugehörigkeit verspielt hat. Aber es heißt auch, daß man stirbt oder daß man sterben oder sich umbringen will.
Wenn jetzt in einem System jemand, der die Zugehörigkeit verspielt hat, nicht geht, dann geht ein Kind an seiner Stelle. Deswegen bringt das Mitleid mit dem Täter überhaupt nichts. Dann ist man hart gegen die wirklich Unschuldigen.

Sie haben dieser Frau nach der Aufstellung gesagt, die Dynamik bei ihr sei: »Lieber verschwinde ich als du.« Anstelle des Vaters will die Tochter gehen. Das sei eine Ursache ihrer Krankheit. Aufgrund dieser Erklärung kam es zu einem kleinen Dialog zwischen Ihnen und der Frau, nachdem Sie sie gefragt hatten, ob ihr das einleuchte:

Frau: Also Sinn hat es für mich in der Weise, daß ich loslassen kann und darf, für meinen Vater da irgendeine Verantwortung zu tragen. Daß ich Verantwortung für ihn hätte. Das, was er getan hat, war verschwiegen bis vor zwei, drei Jahren. Und ich habe es meinen Geschwistern mitgeteilt.

H.: Das hättest du nie tun dürfen. Nein. Du hättest auch nicht fragen dürfen.

Frau: Ich habe nicht gefragt, ich habe nur gesagt: »Erzähle mir, was im Krieg gewesen ist.«

H.: Aber das kann ein Kind nicht tun. Das Kind darf nicht in die Geheimnisse der Eltern eindringen. Es kann sein, daß ein Teil deines Leidens eine Sühne ist für diese Einmischung.

Publikumsfrage: Hätten unsere Eltern uns nichts über die Nazigeschichte erzählen sollen?

H.: Nein, hätten sie nicht dürfen. Nicht, wenn sie darin verwickelt sind. Was machen sonst die Kinder? Sie sagen: »Was habt ihr da gemacht!« Und dann werden die Kinder genauso schlimm wie die Eltern.

Publikumsfrage: Ich kann von meinen Eltern was erfahren und kann das auch verstehen, warum sie sich so verhalten haben. Und ich kann vergeben.

H.: Ein Kind darf weder verstehen noch vergeben. Welche Anmaßung!

Die Anmaßung und ihre Folgen

Es hat ziemlich Ärger gegeben an dieser Stelle. Die Leute aus dem Publikum waren teilweise sehr empört. Kinder haben doch ein intuitives Gerechtigkeitsempfinden. Warum dürfen sie nicht fragen? Die merken auch, wenn die Eltern etwas auf dem Gewissen haben.

Ja, sie merken es, aber sie dürfen sich nicht einmischen.

Kinder sind keine Erwachsenen. Die tun das, die fragen einfach. Ganz unschuldig auch. Müssen sie deshalb sühnen mit einer Krankheit?

Es kommt natürlich darauf an, um was es geht. Wenn es um die Schuld der Eltern geht oder wenn es um die intime Beziehung der Eltern geht, ist jede Frage der Kinder eine ungeheure Anmaßung. Sie zitieren, vor allem wenn es um Schuld geht, die Eltern vor ihr eigenes Tribunal und fordern die Eltern auf: »Rechtfertigt euch vor mir.« Eine größere Anmaßung gibt es nicht.

Wenn ein Kind das gemacht hat, bestraft es sich schwer. Auch wenn die Eltern dem Kind von sich aus etwas erzählen aus der intimen Beziehung. Wenn z.B. eine Frau sagt: »Der Vater ist impotent« und »da ist nichts los« oder so. Oder der Vater spricht abwertend über die Mutter und das Kind hört das, dann bestraft sich das Kind allein schon dafür, daß es das weiß. Um so mehr, wenn es dann noch nachforscht.

Es gibt dann für das Kind nur eine Lösung. Ich nenne das »spirituelles Vergessen«. Es muß sich völlig davon zurückziehen.

Das Kind hat seine Eltern, wie sie sind. Die Eltern können nicht anders sein, als sie sind. Und sie brauchen nicht anders zu sein, als sie sind. Denn ein Mann und eine Frau werden Eltern, nicht weil sie gut sind oder schlecht, sondern weil sie sich als Mann und Frau verbinden. Nur so werden sie Eltern. Das Kind muß daher das Leben von den Eltern nehmen, wie sie es geben. Die Eltern können dem weder etwas hinzufügen, noch können sie etwas weglassen. Auch das Kind kann dem nichts hinzufügen, noch kann es etwas ausschließen. Es muß das Leben nehmen, so wie es diese Eltern ihm geben.

Ist es nicht umgekehrt so, daß man den Eltern sagen müßte: Ihr dürft nichts sagen, ihr müßt die Sphären trennen zwischen Kinder- und Erwachsenenleben?

Ganz genau. Das Kind hat keine subjektive Schuld, wenn es ins Vertrauen gezogen wird. Aber die Wirkung ist genau die gleiche. Einfach durch das Ereignis kommt das Kind in eine Position, die ihm nicht zusteht. Aber ich gebe Ihnen völlig recht: Man muß es den Eltern sagen. Früher waren die Sphären zwischen Eltern und Kindern sehr viel mehr getrennt als heute. Die Kameraderie, die heute zwischen Eltern und Kindern häufig zu beobachten ist, ist schlimm für die Kinder.

Noch einmal zurück zu einem weiteren Beispiel aus dem Seminar. Eine Frau erzählt:

Klientin: Ich hatte mit 25 eine Strumaoperation (Kropfoperation), vor fünf Jahren eine Bauchoperation, und durchweg zieht sich eine chronische Bronchitis.

H.: Bist du verheiratet?

Klientin: Nein.

H.: Wie alt bist du?

Klientin: Fünfunddreißig.

H.: Was war besonders in deiner Ursprungsfamilie?

Klientin: Daß mein Vater mich mißbraucht hat. Daß meine Mutter, als ich ihr das sagte, nicht zu mir gestanden hat. Sie hat gesagt: »Erzähl das niemandem, sonst kommt er ins Gefängnis.« Dann war ich mundtot.

H.: O.k. Du hast Vater, Mutter und wieviel Geschwister?

Klientin: Zwei Brüder und einen Jungen, der erste Sohn meiner Mutter, der nach drei Tagen gestorben ist.

H.: An was?

Klientin: Er ist blau geworden und war tot.

H.: Also jetzt stelle erstmal die Familie auf: Vater, Mutter und die Kinder.

Danach setzt sich die Frau, und Bert Hellinger befragt die Akteure aus dem Publikum, die die Familienmitglieder darstellen:

H.: Wie geht es dem Vater?

Vater: Ich fühle keine Frau neben mir, ich fühle nur eine Beziehung zu der Tochter.

H.: Wie geht es der Frau?

Frau: Ich fühle mich da zu nah, und irgendwie ist das Kind problematisch. Es ist so weit weg. Es ist mir unangenehm. Ich möchte näher bei diesem Kind sein.

H.: Und wie geht es der Tochter?

Tochter: Ich habe ganz heiße Hände. Ich fühle eine Aggression und Angst und Wut.

H. (zur Klientin): Jetzt nehmen wir das tote Kind dazu. Aussuchen und aufstellen.
(zur Tochter): Was ist bei dir verändert?

Tochter: Ich fühle mich wesentlich besser, geschützter. Ich bin nicht mehr alleine.

Vater: Ja, ich spüre eine Beziehung zu ihm.

Frau: Ich möchte einfach zu diesem Kind.

H.: Zu der Tochter?

Frau: Ja

Bruder: Ich möchte aus der Familie mehr eine Einheit machen.

H. (zum toten Kind): Wie geht es denn dir?

Totes Kind: Ich fühle mich tot.

H.: Ja. Genau.
(zur Klientin): Was ist passiert in der Familie deiner Mutter?

Klientin: Eine Schwester ist mit acht Jahren weggegangen ins Ausland und wurde dort behalten.

H.: Wie kann eine Tochter mit acht Jahren weggehen?

Klientin: Ja, es war so eine Art Schulaustausch.

H.: Mit acht Jahren? Merkwürdig.

Klientin: Ja, sie ist ins Ausland. Es war so eine Art Schulaustausch von Ungarn in die Schweiz. Die Frau und der Mann in der Schweiz baten meine Großeltern, sie mögen ihnen das Kind geben, sie hätten doch noch genug. Dann haben die Großeltern das Kind...

H.: Das genügt mir schon. Zu wem will die Mutter? – Zur Schwester.

Wieder die Mutter, die hinaustendiert aus der Familie?

Also ihre Schwester wurde weggegeben und die Mutter will auch weg. Sie will weggehen zu ihrer Schwester.
Unter den Geschwistern gibt es eine sehr tiefe Liebe und Verbindung. Wenn es einem von ihnen schlechtgeht, dann ahmen das die anderen nach. Wenn z.B. eines der Kinder behindert ist, verhalten sich die anderen oft so, als dürften sie das Leben nicht ganz nehmen. Das ist die Wirkung dieser Liebe und Treue.

Sie haben ja gefragt: Was ist in der Familie der Mutter. Sie haben nicht gefragt: Was ist in der Familie des Vaters. Schließlich ist der Vater derjenige gewesen, der seine Tochter mißbraucht hat.

Man konnte aus der Aufstellung sehen, daß das Problem eigentlich bei der Mutter liegt. Bei Mißbrauch ist es meistens so, daß es zwei Täter gibt. Nämlich einen vordergründigen, das wäre hier der Vater, und einen hintergründigen. Deswegen gibt es bei Mißbrauch auch keine Lösung, wenn man nicht beide im Blick behält. Das hier so zu deuten, ist ein bißchen gewagt. Dennoch würde ich davon ausgehen, daß die Mutter weg will vom Mann, weil sie ihrer Schwester nachfolgen will. Sie fühlt sich aber dem Mann gegenüber schuldig und führt ihm zum Ersatz die Tochter zu.

Täter und Opfer

Das ist sehr provozierend. Viele, die mit mißbrauchten Mädchen arbeiten, sind bestimmt empört, wenn sie hören, daß die Mutter die eigentliche Ursache für den Mißbrauch ist.

Es ist natürlich nicht so, daß ich den Mann entschuldige. Es wäre völlig falsch, das so zu sehen. Nur, man muß das ganze Bild haben. Es würde z.B. nicht genügen, wenn das Kind dem Vater böse ist, es muß auch der Mutter böse sein. Soweit ich das bisher gesehen habe, sind die Eltern bei Mißbrauch meistens in Kollusion, in einer geheimen Verbindung.

Das alles, was Sie sagen, klingt ja für analytische Ohren sowieso ziemlich merkwürdig. Man könnte sagen: Sie stellen lauter Behauptungen auf. Woher wissen Sie das?

Ich habe das in der Arbeit mit Klienten gesehen. Ich habe das aus den Familienaufstellungen abgelesen. Ich habe vor allem gesehen, daß jeder Angriff auf den Täter schlimme Wirkungen hat.

Also ein Angriff auf diejenigen, die sich schuldig gemacht haben.

Ja. Denn das Kind bleibt dem Täter, der bestraft wird, treu und bestraft sich selbst dafür. Wenn es das nicht selber macht, macht es später manchmal ein Kind von ihm. Das geht häufig über mehrere Generationen. Ich habe da einmal eine ganz merkwürdige Erfahrung gemacht.

In einem Kurs für Psychiater hat eine Psychiaterin gesagt, sie habe eine Patientin, die vom eigenen Vater vergewaltigt worden sei. Sie war sehr entrüstet. Ich habe ihr gesagt, sie solle diese Familie aufstellen, und das hat sie gemacht. Dann habe ich ihr gesagt, sie solle sich jetzt als Therapeutin zu der Person stellen, wo sie meint, es sei richtig. Da hat sie sich neben die Klientin gestellt. Alle in dem System waren ihr böse, und keiner hat ihr vertraut.

Dann habe ich ihr gesagt: »Jetzt stelle dich mal neben den bösen Vater.« Alle im System haben aufgeatmet und haben ihr vertraut.

Bei dieser Aufstellung habe ich herausgefunden, daß der Therapeut sich mit dem Bösen verbünden muß. Nur wenn er das macht, kann er für die anderen etwas in Ordnung bringen. Sobald er sich mit dem Opfer verbündet und entrüstet wird, wird es für alle schlimm. Und vor allem wird es schlimm für das Opfer.

Das ist eine Erfahrung. Es ist nicht so, weil ich denke, es muß so sein. Diese Einsichten sind mir über die Familienaufstellungen gekommen. Aber wenn es jemand anders sieht oder eine andere Erfahrung macht, die hilft, trete ich sofort zurück. Ich will keinem eine Vorschrift machen, wie er vorgehen soll.

Also es ist kein festes Theoriegebäude.

In keinem Fall. Nicht nur in dieser Beziehung, auch sonst nicht. Ich gehe phänomenologisch vor. Das heißt, ich schaue an, was hilft. Ich probiere das auch aus. Wenn ich dann einen

Weg gefunden habe, bilde ich mir eine Hypothese. Aber die ändert sich von Fall zu Fall.

Und woran sehen Sie, was hilft?

Am Gesichtsausdruck. Sobald die Lösung da ist, gibt es ein Leuchten in den Gesichtern, und alle fühlen sich entspannt. Das geht gegen das altbekannte Sprichwort: »Allen Menschen recht getan, ist eine Kunst, die niemand kann.« In der Familientherapie ist die Lösung da, wenn allen in der Familie recht getan ist. Wenn jeder auf seinem richtigen Platz steht, wenn jeder zu dem steht, wozu er stehen muß, und jeder für sich bleibt und nicht bei den anderen eingreift. Dann fühlen sich auf einmal alle in ihrer Würde und fühlen sich gut. Das ist dann die Lösung.

Ende des Radiointerviews.

»Ich füge mich der erkannten Wirklichkeit«

Phänomenologische Psychotherapie

Das absichtslose Schauen

Sie sagen: Meine Psychotherapie ist eine phänomenologische Psychotherapie. In welche Tradition stellen Sie sich?

Die Phänomenologie ist eine philosophische Methode. Phänomenologie heißt für mich: Ich setze mich einem größeren Zusammenhang aus, ohne daß ich ihn verstehe. Ich setze mich dem aus, ohne die Absicht zu helfen, auch ohne die Absicht, etwas zu beweisen. Ich setze mich dem aus, ohne Furcht, vor dem, was hochkommt. Ich fürchte mich auch nicht, wenn etwas Entsetzliches hochkommt. Ich setze mich allem aus, so wie es ist.

In einer Aufstellung etwa schaue ich auf alle, auch auf die Abwesenden. Ich habe sie alle vor mir. Und dann, während ich mich dem aussetze, kommt blitzartig die Einsicht in etwas, das hinter den Phänomenen liegt.

Zum Beispiel sehe ich bei einer Aufstellung plötzlich: da ist ein Kind ermordet worden. Das ist nicht sichtbar. Das liegt hinter den Phänomenen. Da verdichtet sich etwas, das wesentlich ist für das Verhalten der Personen in dieser Familie. Dieses Wesentliche ist unsichtbar. Aber über das Anschauen der Phänomene leuchtet es plötzlich auf. Es kommt ans Licht. Das ist phänomenologische Vorgehensweise.

Sie ist an keine Schulen gebunden und kann auch keine Schule begründen. Denn man übernimmt nicht etwas von einem anderen. Man lernt nur, sich auf die Phänomene auszurichten und sich ihnen, innerlich gereinigt von Zielen und von Furcht, auszusetzen. Dann macht jeder selbst die Erfahrung, daß es so ein plötzliches Aufleuchten gibt.

Dieses Schauen hat aber einen bestimmten Rahmen, ohne den das nicht geht?

Ja, es gibt eine Grenze. Ich schaue z.B. auf die Familie, oder ich schaue auf alle Phänomene, die mit Gewissen oder mit Schuld zusammenhängen. Die Aufmerksamkeit geht auf diese speziellen Phänomene. Auf alles zu schauen, das geht nicht. Es muß einen Rahmen geben.

Die Liebe

Wie sind Sie darauf gekommen? Durch Erkenntnis?

Die Erklärungen sind in der Regel nachträglich, erst kommt die Erfahrung. Ich gebe Ihnen aber ein Beispiel, was Phänomenologie bedeuten kann.
Ich habe früher in meinen Kursen Übungen in Sechsergruppen gemacht. Fünf Teilnehmer haben sich in einen Halbkreis gesetzt, und einer hat sich von Angesicht zu Angesicht vor die fünf gesetzt. Die Vorgabe war, daß die fünf sich erlauben, den sechsten schauend wahrzunehmen, mit einer Aufmerksamkeit, die in die Weite geht, und daß sie ihn mit Liebe anschauen, so wie er ist. Dann sollten sie warten, bis ihnen ein Licht über den anderen aufgeht. Plötzlich erfaßt jeder etwas Wesentliches über ihn. Das haben sie ihm dann gesagt. Daraufhin hat sich der Wahrgenommene vor ihren Augen verwandelt. Das heißt, diese Wahrnehmung ist nicht nur rezeptiv. Sie schafft ein Kraftfeld und hat eine Wirkung nach außen. Darüber waren die Teilnehmer völlig verwundert.

An dieser Übung kann man einige der phänomenologischen Gesetze ablesen.

Das erste ist, daß ich die Menschen, die ich wahrnehmen will, liebe. Ich stimme ihnen zu, mit dem Schicksal, mit der Familie, mit den Problemen, die sie haben.

Das zweite ist: Es muß ein gewisser Abstand da sein. Wer sich da hineinstürzt – viele Helfer stürzen sich hinein –, der kann nicht mehr wahrnehmen. Die intensive Intimität, die diese Art der Wahrnehmung auslöst, ist nur auf Distanz möglich. Sie kann so niemals in der Nähe sein. Sie ist ohne persönliche Absicht, in einem Raum, in dem nur gilt, was ist und wirkt. Mehr nicht.

Das Ganze

Ohne persönliche Absicht, das heißt, ohne Projektionen, ohne Gefühle, die beim Beschauer hochkommen?

Das erste ist: ohne die Absicht zu helfen. Das ist die erste Reinigung.

Das zweite wäre: ohne Furcht vor dem, was vielleicht für mich an Bedrohung herauskommt. Oft wird es ja für mich zu einer Bedrohung, wenn ich etwas Besonderes sehe und dann auch sage. Andere klagen mich deshalb an.

Mein erster Impuls ist, wenn Leute so schauen, mit Liebe und ohne persönliche Absicht, dann kommt nur Gutes zutage.

Nein. Ein Beispiel. Vor kurzem war ein junger Mann in einem Seminar. Mein Bild war: Er lebt nicht lange. Er schaute in eine Richtung, und da wurde mir auf einmal klar: Es ist der Tod, auf den er schaut. Ich habe ihn dorthin schauen und ihn sagen lassen: »Gib mir noch etwas Zeit.« Auf diese Weise ist er mit ganz tiefen Kräften in Verbindung gekommen.

Aber wenn ich das jetzt so erzähle, dann sagt vielleicht einer: Der Hellinger treibt ihn in den Tod. Es ist natürlich etwas ganz Schlimmes, wenn man das einfach so hört oder liest. Aber es ist ein Beispiel dafür, was hochkommen kann und was ich dann anschauen muß, ohne daß ich Angst davor habe.

Wenn Sie sagen, die Menschen in der Übung sollen mit Liebe schauen, das hat doch nicht jeder. Der eine hat Aggressionen, der andere Projektionen usw.

Wenn ich mit einem Menschen zu tun habe, den ich sonst nicht kenne, kann ich ihn eher mit Liebe anschauen. Liebe heißt ja nicht, daß ich etwas von ihm will, sondern nur, daß ich ihm zustimme, wie er ist. Ohne Urteil.

Ein Beispiel: Wer Bäume auf diese Weise wahrnimmt, findet jeden Baum schön, wie immer der Baum geraten ist. Es ist gar nicht anders möglich. So ist es auch mit Menschen. Das ist Liebe: die Anerkennung, so wie es ist, ist es schön und gut.

Die Wirkung

In diesem Augenblick ist man mit ganz anderen Kräften der Wahrnehmung in Verbindung, mit Kräften, die etwas stiften. Zum Beispiel mit Wachstumskräften. Wenn mir aus dieser Art der Wahrnehmung eine Lösung für einen Klienten kommt, hat das eine unmittelbare Wirkung. Man sieht, wie die Gesichter leuchten.

Manchmal weiß ich nicht genau, ob meine Wahrnehmung stimmt. Ich teste. Wenn es keine Veränderung im Gesicht gegeben hat, war alles, was ich gesagt habe, so gescheit es gewesen sein mag, umsonst. Sobald ein Leuchten über das Gesicht geht, weiß ich, ich habe es getroffen. Da ist etwas in

Gang gekommen. Ich war im Einklang mit Kräften, die in ihm zum Guten wirken. Er ist mit diesen Kräften in Verbindung, und ich habe nichts mehr weiter zu tun.

Die Gegensätze

Warum ist das so? Das hört sich schon noch ein bißchen magisch an.

Ich will Ihnen einen kleinen Abschnitt aus einem Buch von Jacob Steiner vorlesen.* Er schreibt:

»Wir konzipieren das Eine immer nur vom Anderen her. Wir sind in unserem Bewußtsein nicht anders als dialektisch. In der Dialektik – auch derjenigen Hegels – aber zerstört jede Antithesis mindestens zum Teil die Thesis, indem sie ihre Unzulänglichkeit aufdeckt. Im dialektisch strukturierten Denken besteht dabei die Gefahr, daß jedes von vornherein schon bezweifelt wird, weil rein schematisch gedacht wird, ein anderes werde seine Relativität entlarven. Schon die Möglichkeit denken, daß anderes bestehen könnte, heißt aber die Gültigkeit des Einen einschränken. Wenn ich Liebe als Gegensatz zu Haß auffasse und als gleichberechtigt in die Welt einbaue, dann wird die Liebe durch den Haß relativiert ... Um das Eine klar zu sehen, sind wir immer darauf angewiesen, es von anderem abheben zu können.«

Das ist bei der Phänomenologie anders. Das ist kein dialektisches Denken. Ich nehme die Gegensätze als Eines wahr – gut und böse oder politisch gegensätzliche Bewegungen. Ich komme damit zu einer Aussage, die eigentlich keinen Wider-

---

* Jacob Steiner: Rilkes Duineser Elegien. Francke Verlag, 2. Aufl. 1969, S. 78

spruch duldet. Wenn ich so etwas mitteile, sagen manche: Es kann doch auch anders sein. Das ist die Antithesis, und die zerstört die Thesis. Aber die wirkliche Antithesis wäre ja eine neue Erkenntnis. Wenn ich z.B. etwas über Ordnungen herausgefunden habe und ein anderer findet noch andere Ordnungen, über die er mir etwas sagt, dann fügt er meiner Erkenntnis etwas hinzu. Seine Erkenntnis ist nicht eine Antithesis, er hebt meine Thesis damit nicht auf, sondern beide Einsichten verbinden sich zu einer Synthesis, ohne daß es eine Antithesis gibt. Das Destruktive bei der Antithesis, so wie sie häufig eingesetzt wird, entsteht dadurch, daß die Antithesis nur gedacht wird, ohne daß sie auf einer neuen Wahrnehmung basiert.

Was ist der Impuls zur Antithesis?

Die Antithesis vermittelt die Illusion, daß es in meine Gewalt gegeben ist, zu denken, was ich möchte. Ich kann jedesmal, wenn mir einer etwas mitteilt, eine Antithesis dazu aufstellen, ohne daß ich an eine Wirklichkeit gebunden bin. Das gibt mir ein Gefühl der Freiheit. Und ich kann durch meine Antithesis etwas anderes in Frage stellen und zunichte machen, ohne selbst etwas Konstruktives zu tun.

Wenn ich aber phänomenologisch vorgehe und mich einer Wirklichkeit stelle, wie sie sich zeigt, dann verzichte ich auf die Freiheit, es anders zu denken oder zu wollen. Ich füge mich dann der erkannten Wirklichkeit. Aber: Indem ich mich füge, gewinne ich die Freiheit zu handeln. Wer willkürlich eine Antithesis aufstellt, hat zwar die Freiheit, sich etwas anders vorzustellen, als es ist. Aber was macht er dann damit?

Die Freiheit

Ich werde ganz unruhig. Ihr Begriff von Freiheit ist ja ein grund-
sätzlich anderer als der der Aufklärung. Der Mensch ist nicht frei,
würden Sie sagen, sondern...

Unsere Freiheit ist eingeschränkt. Ich kann zwar verschiedene
Wege wählen, doch wo diese Wege hinführen, das ist vorgegeben. Ich kann z.B. gegen eine grundlegende Ordnung
verstoßen, habe aber keine Macht mehr über die Folgen. Die
sind vorgegeben. Freiheit bedeutet hier, anzuerkennen, daß
ich den Folgen meines Verhaltens nicht ausweichen kann. In
dem Augenblick bin ich handlungsfähig.
Ich kann zwar vieles denken. Aber wenn ich alle Denkmög-
lichkeiten durchspiele, wieviel Energie bleibt mir dann noch
zum Handeln? Wenn ich dagegen phänomenologisch vorgehe und plötzlich sehe, worauf es ankommt, habe ich Kraft
und Spielraum zum Handeln. Innerhalb dieses Spielraums
erfahre ich mich frei.
In diesem Zusammenhang gibt es die weitverbreitete Vorstellung: wenn man lange genug für etwas Falsches gelitten
hat, kann es nicht mehr falsch gewesen sein. Es wird dann
gerechtfertigt, statt daß man zugibt: es ist höchste Zeit, daß
man sich davon verabschiedet.

Das Menschliche

Es gibt eine Kritik, die besagt: »Hellinger ist immer noch katholisch,
der überträgt die Bibel in die Therapie.« Sie waren ja einmal in einem
katholischen Missionsorden. Was hat Ihr Austritt aus dem Orden
bewirkt?

Ich bin darüber hinausgewachsen. Es war ein Gehen ohne Bruch. Ich hatte niemandem etwas vorzuwerfen. Aber es ist für mich vorbei. So ist es mit dem Glauben auch. Daraus bin ich erwachsen, das gehört zu meiner Vergangenheit. Es wirkt in vielen Aspekten im Guten in mir nach. Aber ich hänge dem nicht an.

Ich habe ein freundschaftliches Verhältnis zum Pfarrer hier. Ich kann würdigen, was er macht. Wenn ich mir vorstelle, es gäbe plötzlich keine Pfarreien mehr, das wäre ein ungeheurer Verlust. Ich sehe, das ist etwas Gutes, aber nichts, wofür ich mich engagiere. Ich fördere es, indem ich es achte.

Hat sich etwas an Ihrem Wertesystem geändert durch den Abschied vom Orden und der Zuwendung zur Psychotherapie?

Ja. Ich habe in der Psychotherapie viel gesehen, was mich sehr berührt hat, z.B. in der Primärtherapie. Wenn dort jemand etwas Schlimmes aus seinem Leben erzählte, hat der Therapeut manchmal geweint. Ich fand das überwältigend, daß da einer so ohne Anspruch nur aus Mitleid mitfühlen kann. Der war einfach bewegt.

In Südafrika habe ich an einer staatlichen Universität studiert. Ich weiß noch, wie ich mich gewundert habe, daß Leute, die keinem Glauben anhingen, so gute Menschen sein konnten. Vorher hatte ich die Vorstellung, gut kann man nur sein, wenn man einen Glauben hat. Das hält einen aufrecht und macht einen moralisch. Das stimmt aber nicht. Im Gegenteil. Oft habe ich Menschen ohne Glauben oder Bekenntnis erlebt, die viel mitfühlender waren. Da habe ich erfahren, was menschliche Achtung und Würdigung ist. Nicht, weil da irgendwo steht, man solle andere achten und lieben.

»Jeder ist auf seine Weise nur verstrickt«

Die Rolle des Gewissens

Hat Sie Ihre katholische Herkunft nicht in der Art der Fragestellung bis heute geprägt?

Nein. Für mich war das Entscheidende, was ich mit Hilfe der phänomenologischen Vorgangsweise über das Gewissen herausgefunden habe.

Über viele Jahre habe ich mich gefragt: Was ist eigentlich Gewissen? Was ist gewissenhaft, und was passiert mit gewissenhaften Menschen? Was richten sie an, Gutes oder Schlimmes?

Ich habe beobachtet, wie das Gewissen wirkt. Es blockiert gegenüber Außenstehenden die Liebe. Das war für mich eine wichtige Erkenntnis: Erst wo ich über das Gewissen hinausgehe, ist tiefe Liebe, Achtung und Respekt auch für Außenstehende möglich. Das geht in meine Arbeit ein.

Es ist eine Erkenntnis durch Hinschauen. Sie ist nicht irgendwelchen Lehren oder einer Tradition entnommen.

Unschuld und Schuld

An welchen Punkten sind Sie dieser Erkenntnis nähergekommen?

Über Unschuld und Schuld. Ich habe gesehen, daß Schuld und Unschuld in verschiedenen Zusammenhängen ganz verschieden erlebt werden. Wie, das hat immer zu tun mit einem ganz bestimmten Gewissen. Ich habe gesehen, daß das Gewissen nichts Einheitliches ist, sondern etwas sehr Vielschichtiges. Es ist beschränkt auf bestimmte Bereiche und bestimmte Menschen und hat dort eine wichtige menschliche Funktion. Es hat aber keine übergeordnete, gleichsam göttliche Funktion. Es sagt uns also nicht, was in größeren Zusammenhängen gut und böse ist.

Welchen Sinn hat diese Erkenntnis für Ihre therapeutische Arbeit?

Das erste, was ich gesehen habe, war: Es gibt eine tiefe Bindung der Kinder an ihre Herkunftsfamilie. Für ein Kind wäre es das schlimmste, wenn es da ausgeschlossen würde. Das ist ganz elementar. Das Kind lebt mit dem Bewußtsein: »Hier gehöre ich hin, hier will ich dazugehören, und ich teile das Schicksal dieser Familie, was immer es ist.« Daher tut das Kind alles, damit es dazugehört, ohne jede Selbstsucht. Diese Liebe ist keine Überlebensstrategie. Das Kind stirbt ja auch gerne, wenn es den anderen hilft. Diese Bindung ist also frei von Selbstsucht. Und sie wird von einem besonderen Wahrnehmungsorgan gesteuert.

Das Kind weiß instinktiv, was es tun und lassen muß, damit es dazugehören darf. Das weiß sogar ein Hund, das ist nicht nur etwas rein Menschliches.

Überall, wo es Bindungen gibt, gibt es automatisch eine spontane Wahrnehmung: »Was gilt hier, damit ich dazugehören darf, und was muß ich tun und lassen, damit ich meine Zugehörigkeit nicht verliere?« Das Wahrnehmungsorgan für diese Art der Wahrnehmung ist das Gewissen. Daher hat einer, der mehreren Gruppen angehört, auch verschiedene Gewissen.

Man kann auch sagen, das gleiche Gewissen reagiert in unterschiedlichen Gruppen verschieden. Das fängt schon an bei Vater und Mutter. Ich weiß genau, was ich tun muß, damit ich meinem Vater gefalle, und was ich anders tun muß, um meiner Mutter zu gefallen. Bei beiden gelten unterschiedliche Maßstäbe. Aber es geht immer um das Eine: »Darf ich dazugehören oder nicht?« Dieses Gewissen nenne ich das Bindungsgewissen.

Wenn das Kind in die Schule geht, sich seiner Peergroup oder einer Bewegung anschließt oder den Rechts- oder Linksradikalen, verhält es sich in jeder Gruppe gewissenhaft. Diese Gruppen dienen unterschiedlichen Zielen mit unterschiedlichen Inhalten. Die Inhalte sagen aber noch nichts über das Gewissen aus. Die Frage ist einzig: Was muß ich tun, um dazuzugehören, und was muß ich meiden, damit die Zugehörigkeit nicht verlorengeht. Schuldgefühle haben heißt hier nur: »Ich fürchte oder muß befürchten, nicht mehr dazuzugehören.« Mehr nicht.

Ein gutes Gewissen haben heißt: »Ich bin mir sicher, daß ich dazugehören darf.« Das Streben nach Zugehörigkeit, nach dieser Art von Unschuld, ist der Hauptmotor unseres Handelns auf einer ganz tiefen menschlichen Ebene. Da ist nichts Übergeordnetes oder Göttliches darin. Die Gruppe entscheidet, was für mich gut, gewissenhaft oder schlimm ist.

Je nachdem, welcher Gruppe, Religion oder Partei jemand angehört, die Mitglieder sind alle in der gleichen Form gewissenhaft, mit den gleichen Gefühlen, mit den gleichen Ängsten, wenn sie gegen die Normen verstoßen, so unterschiedlich die Inhalte auch sein mögen, denen sich diese Gruppen verschrieben haben.

Das also war für mich die bahnbrechende Erkenntnis. Jetzt konnte ich das Gewissen viel unbefangener anschauen.

Was Sie schildern, ist gewissermaßen eine Abkehr vom Dogma und eine Hinwendung zur Person.

Es ist keine Abkehr. Ich kann die Werte meiner Herkunft anerkennen. Aber sie sind nicht absolut. Manchmal halte ich sie aus einer gewissen Treue meiner Familie gegenüber ein.

Über Martin Heidegger habe ich gelesen: wenn er in eine Kirche kam, hat er Weihwasser genommen und eine Kniebeuge gemacht, obwohl er seinem Glauben nicht mehr anhing. Das war eine Anerkennung seiner Wurzeln. Ich finde das großartig, wenn einer seine Wurzeln anerkennt, ohne sich dafür zu rechtfertigen.

In jeder Gruppe finden sich große menschliche Werte, auch wenn sie unterschiedlich sind. Aber es war natürlich nicht leicht, aus meiner katholischen Herkunft diesen Sprung dort hinüber zu machen und das so zu sehen.

Was hat das verändert?

Ich bin in diesem Sinne nicht mehr gewissenhaft.

Das Gute

Was macht Ihre Unbefangenheit dem Gewissen gegenüber aus?

Das Gute ist nicht mehr auf das Gewissen gegründet. Es ist jenseits der Gewissen angesiedelt. Die Erkenntnis des Guten kann nicht mit Hilfe des Gewissens gelingen. Das geht eher über Wahrnehmen, Anschauen, Würdigen. Erst wenn ich das enge Gewissen als Maßstab hinter mir lasse, kann ich sehen, jeder ist in seiner Weise gebunden, jeder ist in seiner Weise gut und auch verstrickt.

Was einer aus der Verstrickung tut, ist manchmal ganz schlimm, und dennoch ist er nur verstrickt. Dann hören viele Werturteile auf. Aber nicht aus Liebe, sondern aus Einsicht. Das ist ein großer Unterschied. Ich geh jetzt nicht hin, um jemanden zu lieben, sondern ich kann ihn da lassen, wo er ist, und kann ihn achten und würdigen, ohne daß ich eingreife. Gleichzeitig sehe ich bei diesem Blick auf das menschliche Gewissen, daß der einzelne immer begrenzt ist. Dann werden die Forderungen, die ich an den anderen stelle, sehr viel geringer. Ich kann gelassener mit dem einen und mit dem anderen umgehen und kann beides stehenlassen.

Von daher ist es für mich völlig undenkbar, eine Gruppe zu bilden, die eine einzige Meinung vertritt.

Gewissen und Über-Ich

Das, was Sie sagen, würde bedeuten: Es gibt nicht nur ein Über-Ich, sondern es gibt viele Über-Ichs.

Ja genau, je nachdem, wo ich mich gerade befinde.

Ist Gewissen dasselbe wie Über-Ich?

Nein, das ist es nicht. Das Über-Ich wird gehört. Es hat etwas mit verinnerlichten Personen zu tun. Das Gewissen geht darüber hinaus. Es wirkt, auch ohne daß einer etwas gesagt hat.

Es gibt ja Körpertherapeuten, die sagen, die Kinder übernehmen oft die Körperhaltung ihrer Eltern. Sie haben ähnliche Schwierigkeiten beim Atmen, oder sie gehen nach vorn gebeugt, das Zwerchfell ist blockiert. Das wäre ja dasselbe Phänomen, was Sie als Gewissen beschreiben auf der körperlichen Ebene.

Genau. Das ist die Art und Weise, wie jemand dazugehört. Er verhält sich genauso, atmet genauso. Kinder von blinden Eltern verhalten sich manchmal wie Blinde, obwohl sie sehen können. Da sieht man, wie tief die Bindung geht.

Das Über-Ich, sagen Sie, wirkt bewußter als das Gewissen?

Das Gewissen ist umfassender als das Über-Ich. Wenn jemand unter der Kontrolle des Über-Ichs steht, dann hört er: »Du sollst das nicht machen.« Beim Gewissen dagegen hört er nicht, da weiß er auf einer elementaren Ebene: so oder so, das gehört dazu.

Das ist das Bindungsgewissen. Was ist hier das Schuldgefühl?

Beim Bindungsgewissen ist das Schuldgefühl die Angst vor dem Verlust der Zugehörigkeit. Das Gegenteil, das Gefühl der Unschuld, erleben wir als Recht auf Zugehörigkeit. Man nennt das auch Ehre. Wenn einer geehrt ist in einer Gesellschaft, dann hat er ein großes Recht auf Zugehörigkeit.

Gewissen und Ausgleich

Die zweite Erfahrung von Schuld hat zu tun mit dem Ausgleich von Geben und Nehmen oder von Gewinn und Verlust. Es gibt ganz tief in der Seele das Bedürfnis nach Ausgleich. Wer etwas bekommt, hat das Bedürfnis auszugleichen, indem auch er gibt. Das hat eine wichtige soziale Funktion: es ermöglicht den Austausch und den Zusammenhalt. Eine Gruppe wird dadurch zusammengehalten, daß jeder gibt und jeder nimmt. Und zwar ausgeglichen.
Ich bringe ein ganz einfaches Beispiel: Ein Mann liebt eine Frau und umgekehrt. Der Mann kommt aus einer bestimmten Familie, in der man mehr oder weniger nehmen darf, und das gleiche gilt für die Frau. Das wird instinktiv gespürt. Ich weiß genau, wenn ich mit jemandem zusammen bin, wieviel er nehmen darf und wieviel er mir zurückgeben kann oder darf. Danach richtet sich, wieviel ich ihm geben darf und was ich ihm geben darf. Also darf ich ihm nur soviel geben, wie er zurückgeben kann und will. Wenn einer mehr gibt, als der andere verträgt, ist die Beziehung gefährdet. Daher ist mein Geben in einer Beziehung immer eingeschränkt.

Ein anderes Beispiel. Jemand heiratet einen Behinderten. Er kommt damit automatisch in die Position dessen, der mehr gibt. Doch der andere wird ihm böse, wenn er ihm nichts Gleichwertiges zurückgeben kann. Es gibt dann aber die Möglichkeit des Ausgleichs auf einer höheren Ebene. Wenn der Behinderte würdigt, was der andere ihm gibt, und sagt: »Ja, ich weiß, du gibst mir mehr, als ich dir zurückgeben kann, ich nehme es als ein besonderes Geschenk«, dann geht es. Wenn das Gefälle in einer Beziehung nicht ausgeglichen werden kann, gibt es keine Verbindung auf Dauer.

Wenn ich vom anderen etwas bekommen habe, fühle ich mich bei ihm in der Schuld. Das ist nicht das gleiche Schuldgefühl wie beim Bindungsgewissen. Die Schuld wird als Verpflichtung erlebt und die Unschuld als Freiheit von Verpflichtung.

In welchem Rahmen gilt diese Beobachtung?

Diese Art von lebendigem Austausch ist beschränkt auf überschaubare Gruppen. Ich würde mal so ins Blaue sagen, auf 20 Personen, eine normale »Horde«. Da ist das sinnvoll. Dem Staat gegenüber haben wir dieses Gefühl nicht in diesem Maße. Da betrügen Leute leichter, z.B. bei der Steuer. Einem Freund würden sie nicht so einfach Geld wegnehmen.

Je anonymer, desto schwächer wird dieses »Etwas schuldig zu sein«.

Genau. Es wirkt nur auf dieser begrenzten Ebene. Aber oft wird diese Grenze in schlimmer Weise überschritten. Wenn jemand z.B. vom Schicksal begünstigt wurde, fängt an, das Schicksal zu behandeln, als sei es eine Person, und zahlt zurück.

Ein Beispiel: Da wird jemand aus einer Lebensgefahr gerettet, während andere umgekommen sind, wie z.B. jene Juden, die das Konzentrationslager überlebt haben. Viele von ihnen trauten sich nachher nicht, ihr Leben neu zu nehmen. Sie lebten eingeschränkt. Sie bezahlten für ihre Errettung mit

eingeschränktem Leben. Sie fühlten sich den Toten gegenüber schuldig, weil sie leben, obwohl die anderen tot sind.
Das Bedürfnis nach Ausgleich wird hier auf eine Ebene
verschoben, die völlig unzulässig ist, wo es absurd wird.

Der »gerechte« Gott

Das gleiche wird mit Gott gemacht. Daher rührt die Forderung
nach dem gerechten Gott und diese Form von Frömmigkeit,
die Gott versöhnen will. Die ihn bezahlt, damit er gibt. Was
nur für einen überschaubaren Rahmen gilt, wird auf diese ganz
große Ebene übertragen. Das ist dann völlig verrückt.
Die Forderung, Gott müsse gerecht sein, entspricht dem, was
wir von unseresgleichen fordern. Wenn ich für Gott etwas
getan habe, wenn ich mich etwa für die Pfarrei einsetze oder
ein Kreuz stifte und das barfuß nach Rom trage, dann meinen
manche, er muß mich erlösen. Gott wird behandelt, als sei er
verpflichtet, das zu tun.
Doch wenn wir die Natur anschauen oder die Evolution,
dann sehen wir: die Kraft, die wirkt, ist nicht gerecht. Unsere
Vorstellung von ausgleichender Gerechtigkeit ist eine spezi-
fisch menschliche, und für menschliches Zusammenleben ist
sie wichtig. Aber als kosmisches Prinzip ist sie völlig ungeeignet, weil sie der Wirklichkeit, die wir erfahren, völlig widerspricht.

Ausgleich und Liebe

Woher kommt dieses Bedürfnis nach Ausgleich?

Woher das kommt, weiß ich nicht, aber ohne dieses Bedürfnis
nach Ausgleich gäbe es keine menschliche Gemeinschaft. Es

ist uns gegeben, damit wir als Menschen zusammenleben können. Da ist es sinnvoll und muß geachtet werden.

Aber es ist keine Vereinbarung unter Menschen. Es ist nicht ansozialisiert.

Nein, das braucht man nicht zu vereinbaren. Es wird von jedem instinktiv gespürt.

Bei Paarbeziehungen habe ich gesehen, was passiert, wenn dieses Prinzip nicht beachtet wird. Bei der Liebe haben ja manche die Vorstellung: Liebe heißt, du mußt mir geben, und ich brauche selber nichts zu tun. So wie ein Kind seine Mutter erlebt. Eine Mutter sorgt für ihr Kind völlig selbstlos. Aber das ist eine Erfahrung, die wir früher einmal gemacht haben. Sie ist völlig ungeeignet für eine Paarbeziehung.

Eine erwachsene Verbindung gedeiht, wenn es ein Bedürfnis nach Ausgleich gibt, verbunden mit Liebe. Beides zusammen steigert den Austausch.

Das gleiche Prinzip gilt auch im Negativen.

»Wer sich zu gut ist, böse zu sein, zerstört die Beziehung«

Ausgleich, Liebe und Rache

Wenn mir einer etwas antut, habe ich das Bedürfnis, ihm auch etwas anzutun. Das ist das Bedürfnis nach Rache. Wenn sie gelingt, ist der Ausgleich wieder hergestellt. Wenn mir jemand was antut und ich verzeih ihm einfach, dann bleibe ich in der überlegenen Position, und der andere kann nichts mehr machen, um die Ebenbürtigkeit wiederherzustellen, außer er wird mir noch böser.

Wenn das Bedürfnis nach Ausgleich im Negativen aus ideologischen oder religiösen Gründen mißachtet wird, hat das schlimme Folgen. Das ist ein Verstoß gegen das Bedürfnis nach Ausgleich. Wenn ich dem anderen aber etwas zur Wiedergutmachung abverlange, kann die Beziehung wieder in Ordnung kommen. Ich muß ihm also auch etwas Böses tun oder etwas Schweres abverlangen. Doch wenn die Beziehung erhalten bleiben soll, muß das Böse etwas gnädiger ausfallen als das, was der andere mir angetan hat. Aus Liebe gebe ich beim Guten etwas mehr, beim Schlimmen etwas weniger.

Ein Beispiel: Ein Mann hat seiner Frau etwas angetan, er hat sie z.B. beschimpft: »Du bist ja wie deine Mutter« oder so. Wenn die Frau sehr verletzt ist, muß sie dem Mann auch etwas antun. Zum Ausgleich. Und zwar etwas, das ihm weh tut.

Das ist eine Lektion, die viele nicht verstehen: daß es den Ausgleich im Guten wie im Bösen geben muß. Nur, wo die Liebe herrscht, ist der Ausgleich so, daß ich dem anderen beim Guten etwas mehr gebe und beim Schlechten etwas weniger.

Dann hat die Liebe auch beim schlimmen Ausgleich eine Chance.

Ein anderes Beispiel: Ich habe in Südafrika eine Schule übernommen – eine große Eliteschule. Die Schüler wollten mich testen. Ich war Rektor und gleichzeitig Pfarrer. Am Gründonnerstag haben sie gesagt, sie möchten in die Stadt gehen, sie hätten ja frei. Sage ich: »Ja, aber ihr müßt zum Gottesdienst zurück sein.« Ich brauchte sie nämlich zum Singen. Aber sie sind geschlossen erst am Abend zurückgekommen. Sie hatten mir also etwas angetan, und um die Ordnung wiederherzustellen, mußte es zu einem Ausgleich kommen.

In der Schule gab es eine Art Selbstverwaltung. Ich habe die Schülervertreter am Abend gerufen. Zuerst einmal habe ich sie sitzen lassen und eine Viertelstunde nichts gesagt. Das war das erste. Das zweite: Ich habe gesagt: »Die Disziplin ist zusammengebrochen. Ihr wollt ja etwas von mir und von der Schule. Wenn ich Euch das nicht mehr geben will, was macht Ihr dann? Ihr müßt mich wiedergewinnen. Ich mache Euch daher einen Vorschlag: Ihr ruft morgen früh alle Schüler zusammen und besprecht mit ihnen, wie Ihr die Disziplin wiederherstellt.«

Am nächsten Morgen haben sie vier Stunden lang beraten und mir einen Vorschlag gemacht. Doch der hätte ihnen nicht genug zum Ausgleich abverlangt. Ich sagte: »Nein, das ist lächerlich, beratet noch einmal.« Dann haben sie wieder vier Stunden lang beraten und mir vorgeschlagen: »Wir arbeiten in den Ferien einen ganzen Tag auf dem Fußballplatz und bringen ihn in Ordnung.« Ich sagte ihnen: »Einverstanden.« Als sie dann schon einen halben Tag lang auf dem Fußballplatz gearbeitet hatten, habe ich ihnen gesagt: »Jetzt reicht es.« Ich bin ihnen also entgegengekommen. Danach hatte ich nie wieder Disziplinschwierigkeiten.

Das muß ich mir mal für zu Hause merken.

Wenn eine Mutter konsequent ist, verliert sie die Liebe. Sie muß auch nachgeben. Sie muß gegen ihre Prinzipien verstoßen, damit die Liebe erhalten bleibt. Doch wenn sie keine Prinzipien hat, ist es auch schlimm für die Kinder.

Das kommt mir sehr entgegen.

Die meisten Mütter machen das automatisch. Sie geben immer ein bißchen nach, und dann sind die Kinder erleichtert.

Dieses Geben und Nehmen im Guten wie im Bösen gilt nur für kleine Gruppen?

Ja. Da stiftet es wieder Beziehung. Wer sich zu gut ist, um böse zu sein, zerstört die Beziehung. Dieses Bösesein dem anderen gegenüber, der mir etwas angetan hat, ist ganz wichtig, damit die Beziehung wieder aufgenommen werden kann. Wenn aber jemand zuviel des Bösen tut, weil er sich im Recht fühlt, dann hat das Böse kein Ende.

Die Grenzen des Ausgleichs

Warum gilt das nur für kleine Gruppen?

Wo es darüber hinausreicht, hat es ganz schlimme Wirkungen. Man braucht ja nur die Kriege anzuschauen.

Aber offensichtlich wirkt da dasselbe Prinzip.

Wenn es über die kleine Gruppe hinausgeht, wird eine Grenze mißachtet. Wenn z.B. ein Volk von einem anderen kollektiv Wiedergutmachung fordert, dann wird dieses Prinzip, das zwischen konkreten Menschen gilt, auf die Völker übertragen. Das ist die Hauptursache für Kriege. Frieden gelingt am Ende nur durch Verzicht auf diese Art von Ausgleich. Das heißt hier, man gestattet sich gegenseitig einen neuen Anfang.

Wir müssen also ganz scharf trennen zwischen der gesellschaftspolitischen, der individuell-familiären Ebene und all jenen Problemen im zwischenmenschlichen Bereich, mit denen Sie als Therapeut konfrontiert sind. Das bedeutet auch, wenn wir miteinander über Ihre Erkenntnisse sprechen, bezieht sich das auf diesen kleinen, überschaubaren Verband von Menschen, auf diese »Horde« von 20 bis 30 Menschen, die in der Regel Verwandtschaft und Freunde ausmachen.

Genau. Die Vermischung der Ebenen führt zu Mißverständnissen in der Öffentlichkeit. Die Menschen tun sich schwer, sich in ihrem Bedürfnis nach Ausgleich auf ihren Rahmen zu beschränken und in diesem Rahmen Ordnung zu schaffen. Es ist diese unersättliche Grenzüberschreitung nach dem Motto: »Wenn ich schon was Gutes machen will, dann muß es gleich für die ganze Menschheit sein«, die Schaden stiftet.

Auf der einen Seite ist es so: Was Sie schildern, gilt für diesen überschaubaren Rahmen, und in diesem Rahmen macht es Sinn und stiftet Gemeinschaft. Geht man damit über diesen Rahmen hinaus, stiftet es Unfrieden, sagen Sie. Umgekehrt gesagt: Gutes und Böses tun gehört auch in einen bestimmten Kontext, und dieser Kontext muß gewahrt bleiben. In dem Moment, wo man meint, das Elend der Welt schultern zu müssen, kehrt sich das Gute ins Gegenteil.

Genau. Es gibt dann immer einen, der sich für besser und stärker hält als die anderen. Deswegen haben viele gutgemeinten Missionen von Hilfsorganisationen am Ende eine ganz seltsame Wirkung. Ich sehe, daß es Grenzen gibt. Die will ich beachten.
Ich habe als Missionar auch gedacht, man muß den »armen Heiden« helfen. Ich konnte beobachten, ob Hilfe ankommt

und wie Hilfe ankommt und wie gefährlich sie ist, wenn sie nicht im Einklang ist mit den anderen. Und vor allen Dingen, wenn sie nicht in großem Respekt vor den anderen gegeben wird.

Jetzt haben wir zwei Gewissen. Geben und Nehmen und Bindungs-gewissen. Gibt es noch mehr?

Es gibt noch mehrere. Wenn ich sie so aufzähle, dann besteht natürlich die Gefahr, daß man das als Lehre auffaßt. Dabei ist das ein Bereich, den ich nicht umfassen kann. Wenn aber auch nur einige Aspekte klar geworden sind, dann genügt das eigentlich zur Orientierung. Es genügt, um Schlimmes zu verhindern und Gutes in die Wege zu leiten.

Jetzt haben Sie gesagt: »Schlimmes verhindern und Gutes in die Wege leiten.«

Ja, im Sinne von würdigen, daß jeder auf seine Weise gefangen ist. Man kann auch sagen, daß jeder auf seine Weise in den Dienst genommen ist. Das wäre eine transzendente Sicht. Das geht über das Konkrete hinaus. Aber es stiftet Frieden, wenn man das so sieht: Was immer abläuft, im Guten wie im Bösen, gehört in einen großen Zusammenhang. Ich kann beidem zustimmen, ohne daß ich eingreife.
Diese Sichtweise hat natürlich weitreichende Konsequenzen. Aber sie ist die friedlichste, die ich kenne.

Also nicht nur die Welt nicht verändern, sondern der Welt so zustimmen, wie sie ist.

Genau, mit Liebe.

Wo nehmen Sie die Liebe her. Strömt die automatisch?

Sie ist eine Errungenschaft. Sie kommt aus dem Tun und aus der Erfahrung von eigenen Grenzen. Wir haben Grenzen, im

Guten wie im Bösen. Diese Liebe ist im Grunde nur ein Anerkennen, daß es in den Unterschieden bei allen eine tiefe Gemeinsamkeit gibt.

Als tiefste Liebe wird erlebt, wenn jemand so, wie er ist, anerkannt wird, und zwar als notwendig so. Er kann gar nicht anders sein. So ist er richtig. Obwohl er anders ist als ich und ich anders bin als er, anerkennen wir uns beide als richtig. Das ist die eigentliche Liebe. Nicht, daß ich jemanden umarme oder so. Das wäre sehr vordergründig.

Diese Liebe ist im Grunde ein Einklang mit tiefsten Kräften, und das hat etwas Religiöses. Man könnte auch sagen, das ist Religion: Ich bin eingebunden in etwas Tiefes, ohne daß ich es ergründen will.

Der Verzicht

Es gibt etwas, was Sie nicht ergründen können. Das nennen Sie »tiefste Kräfte«?

Das sind Metaphern. »Große Seele« nenne ich es auch, oder etwas Geheimnisvolles. Aber es ist nichts, was ich ergründen will.

Weil es sich nicht ergründen läßt oder weil Sie meinen, es müsse Bereiche geben, die unergründet bleiben?

Ich denke nicht so weit. Ich lasse es so, wie es ist. Wenn ich da weitergehen wollte, hätte das keine gute Wirkung auf mich. So wie ich den anderen Menschen in seiner Art würdige oder anerkenne, so anerkenne ich auch das Geheimnis, ohne daß ich es lüften will. Gerade indem ich diese Distanz halte, bin ich in Verbindung damit.

»Wer im Einklang ist, kämpft nicht«

Über Bestimmung

Das Gewissen, sagen Sie, ist abhängig von der Gruppe, in der ich mich bewege. Es gibt aber doch Situationen, in denen ich mich ganz nach mir richten muß, nach meiner inneren Stimme sozusagen?

Es gibt ein Gefühl für persönliche Bestimmung oder Berufung oder Aufgabe. Das berührt ganz tief den Kern. Das ist jenseits des Gewissens. Wer damit im Einklang ist, der fühlt sich in Ruhe.

Wer gegen dieses Innerste verstößt, z.B. wenn er eine Aufgabe, die auf ihn zukommt, ablehnt, weil sie schwer erscheint, dann zerbricht etwas in der Seele. Wenn er sie auf sich nimmt, ist er im Einklang, obwohl sie schwer ist.

Das hat dann nichts mit den Mitmenschen zu tun.

Nein. Wer im Einklang handelt, auch wenn es gegen das, was andere sagen, verstößt, weiß sich gut. Da ist das Handeln unabhängig von der Zustimmung der anderen.

Danach haben viele eine tiefe Sehnsucht: Mit sich selbst im Einklang zu sein, bei sich selber anzukommen, wie immer man das nennen mag. Aber es ist gleichzeitig das Schwierigste, dahin zu kommen.

Das weiß ich nicht. Das ist ein Weg, der sich aus dem Lebenslauf ergibt. Das kann man nicht üben, das kann man nicht erstreben. Dahin kommt man auch nicht durch Meditation. Das ist jenseits davon. Aber es wird gespürt, und jeder ist in vielen Augenblicken damit in Kontakt.

Ich zeige es an dem naheliegenden Beispiel: Mutter und Kind. Wenn sich die Mutter dem Kind zuwendet, gibt es eine Ebene, auf der sie ganz genau weiß: Jetzt ist sie mit etwas Größerem in Einklang. Sie sieht nicht einfach nur das Kind. Da mischen sich die Ebenen: die vordergründige der Herzlichkeit und der Liebe – und das Hintergründige, so etwas wie eine letzte Bereitschaft. Das richtet sich nicht mehr auf das Kind, sondern hat etwas mit der eigenen Person zu tun.

Aber in seiner Wirkung ist es durchaus auf andere gerichtet.

Schon. Ich bringe noch ein Beispiel. Wenn ein Paar geheiratet hat, weil ein Kind unterwegs war, sagen die Eltern manchmal zum Kind: »Das haben wir nur getan, weil du unterwegs warst.« Dann fühlt sich das Kind den Eltern verpflichtet, besonders wenn die Eltern unglücklich sind. Wenn die Eltern dagegen sagen: Wir haben es getan, weil wir es wollten oder weil wir zu unserer Liebe stehen, dann haben wir diese Metaebene: Das hat nicht mehr so sehr mit dem Kind zu tun, sondern mit dem Mann als Vater und der Frau als Mutter. Die tiefen Ordnungen nehmen uns in ihren Dienst auf dieser Ebene. Daraus entfaltet sich das andere. Aber das ist nicht greifbar, nicht kodifizierbar. Man kann es auch nicht beachten oder erfüllen.

Das Einfache

Sondern es geschieht.

Es geschieht. Das ist im Grunde ein ganz einfacher menschlicher Vollzug, nichts Überragendes, nichts Heiliges. Es ist etwas, wohin der Mensch von sich aus strebt, wenn man ihm nicht durch Ideologien den Kopf verdreht. Wer ruhig bei sich ist, weiß das ganz einfach.

Meinen Sie, daß es nur die Ideologien sind?

Nein, es gibt Zeitströmungen, die das erschweren, und solche, die das fördern.

Wenn jemand im Tiefsten mit sich eins ist und von seinem Wesenskern her entscheidet, kann das doch auch gegen andere gerichtet sein.

Gegen etwas gerichtet ist er nie. Er findet vielleicht keinen Anklang, wird nicht gewürdigt. Wer im Einklang ist, kämpft nicht. Da braucht man nicht zu kämpfen. Im Einklang ist man am meisten gesammelt. Dort spürt man einen tiefen Frieden. Keine Befriedigung, sondern Frieden. Es hat auch etwas mit Distanz zu tun. Man ist verbunden und gleichzeitig auf Distanz.

Das ist eine spirituelle Haltung.

Man könnte es so nennen, wenn es nicht so gewöhnlich wäre. Wenn das als etwas Spirituelles gesucht wird, ist es schon wieder weg, weil es zu gewöhnlich ist. Es ist das Allereinfachste, das Allergewöhnlichste.

Der Vollzug

Aber es ist ja oft so, daß das Allereinfachste, Allergewöhnlichste überdeckt und überlagert wird von allem möglichen Ballast. Was Sie schildern, hört sich für mich ganz ähnlich an wie der Zustand, den die Taoisten oder Buddhisten durch Meditation erreichen.

Es hat etwas zu tun mit gewöhnlichem Vollzug. Wenn jemand das anstrebt in dem Sinne, daß er es mehr hat als andere, weil er einen spirituellen Weg geht, wie man sagt, dann ist er mit dem Tiefsten eigentlich im Zwiespalt, weil er es zu etwas herabwürdigt, was er erreichen will, wo es doch ganz nah ist.

Meditation hat Bedeutung. Ich will das nicht bestreiten, das wäre unsinnig. Aber nicht im Sinne der Stärkung dieser besonderen Haltung. Wer im Einklang ist, der hat manchmal das Bedürfnis, sich zu sammeln. Dann fließt die Meditation aus diesem Einklang. Sie ist für ihn nicht der Weg, um dahin zu gelangen, sondern umgekehrt: weil er im Einklang ist, sammelt er sich manchmal, zieht sich auf sich zurück, aber immer auf Vollzug gerichtet. Deswegen ist für mich dieser Einklang am einfachsten durch einfache Vollzüge zu erreichen.

Vollzug und Einklang sind Begriffe, die Sie ganz oft gebrauchen. Was meinen Sie damit?

Ganz gewöhnliches Tun. Die einfachsten und tiefsten Vollzüge sind die in der Familie. Von Vater und Mutter den Kindern gegenüber und von den Kindern den Eltern gegenüber. Das sind die größten und tiefsten Vollzüge. Sie sind die Grundlage von allem anderen.

Wer im Einklang ist mit seinem Vatersein, Muttersein, Partnersein, Kindsein oder Bruder- und Schwestersein, wer die Aufgaben, die sich daraus ergeben, einfach aufgreift, der vollzieht sein Menschsein. In diesen einfachen Tätigkeiten kommt das Menschsein überhaupt erst zu seinem Vollzug. Darin fühlt man sich im Einklang mit Großem, aber ganz still. Ohne Propaganda, ohne Dogma, ohne Lehren, ohne eine geforderte Moral. Das spielt hier keine Rolle.

»Das Große liegt im Gewöhnlichen«

Meditation und spirituelle Wege

*Ist nicht Meditation auch eine Möglichkeit, um zu diesem ursprüng-
lichen, einfachen Einklang zurückzufinden, indem man sich leer und
damit frei macht, um mit dem Ursprünglichen wieder in Kontakt zu
gelangen?*

Meditation kann ein Sich-Sammeln sein, und dann kommt
daraus eine Kraft. Sammlung heißt hier, ich nehme die Fülle,
die da ist, mit in den Blick, in das Gefühl, in die Zustimmung.
Leer werden ist genau das Gegenteil von Sammlung. Im
Leerwerden kann ich den Kontakt zum Ganzen verlieren.
Das geschieht auch häufig so.
Ich habe viele gesehen, die meditieren, und dennoch tut sich
nichts, weil es nicht im Vollzug ist, es ist nicht vollzogen hin
auf Größeres. Dann hat es eine einschränkende Wirkung.

*Für viele Menschen hat Meditation einen großen Wert. Nicht, weil
sie schnelle Erleuchtung erreichen wollen und dabei von einem
Wochenendseminar zum nächsten hecheln, sondern weil es eine
Möglichkeit ist, anders leben zu lernen. Haben Sie nicht auch
meditiert?*

Natürlich. Sonst könnte ich nicht so reden. Ich will nur sagen:
Es kommt auf eine Erkenntnis an, die vertiefte Einsicht
ermöglicht und vor allem auch gutes Handeln. Einsichten,
wie man sie über die phänomenologische Vorgangsweise
gewinnt, sind über Meditation nicht zu haben.

Das ist eine kühne Behauptung.

Sie sind zu haben über ein Engagement, indem ich mich in einen Vollzug mit hineinbegebe. Ich komme in Einklang, indem ich etwas Gewöhnliches tue. Manche, die meditieren, nehmen sich aus diesem Vollzug heraus. Die wollen etwas anderes. Die Erleuchtung beispielsweise. Das ist losgelöst vom Normalen. Wenn jemand meditiert, dann frage ich mich: wozu braucht er das?

Manchmal muß ich mich hinsetzen und mich sammeln. In der Regel ist es dann so, daß ich Stunden später mit einem schweren Fall zu tun habe, der meine ganze Kraft oder meinen ganzen Mut fordert. Das habe ich über die Meditation gewonnen. Die Meditation war wie eine Vorahnung. Wenn ich diese Vorahnung nicht habe, meditiere ich auch nicht. Wenn ich die Kraft brauche, kommt mir der Drang zur Meditation unwiderstehlich.

Ich will das andere nicht in Frage stellen. Das liegt mir fern. Wenn man die Meditierenden anschaut, dann sieht man, daß viele dadurch gewonnen haben. Bei anderen aber sehe ich auch: Es hat keine besondere Wirkung. Sie sind dadurch nicht fähiger geworden zur Liebe. Sie sind nicht milder geworden oder weise. Sie sitzen nur. Dagegen habe ich Bedenken. Es geht mir immer darum: Was kommt dabei heraus?

Meditation ist kein Allheilmittel, kein Ersatz, keine Möglichkeit, seinen Problemen zu entfliehen. Meinen Sie das?

Genau. In der buddhistischen Tradition gehen viele Leute eine Zeit ins Kloster, um zu meditieren. Das sehe ich wie eine Art Schule an, weniger als eine Lebensform. Man lernt es und kann es anwenden, wenn man es braucht. Das finde ich gut. Wenn einer in einen Orden geht, dann gibt es dieses Training ja auch. Aber wenn ich einen täglichen Ritus daraus mache, kann ich dadurch auch verlieren.

Man kann Meditation doch auch als eine Art Stütze im Leben sehen.

Genau. Dann ist es aber etwas ganz Gewöhnliches. Es ist dann kein großer religiöser Vollzug, sondern etwas ganz Menschliches. So wie ein Künstler sich ja auch sammelt. Oder jemand, wenn er Musik hört – das wäre auch eine Art, wie jemand innerlich in Ordnung kommt.

Das Esoterische

Was ist Ihr Affront gegen das Esoterische? Wenn ich sage: Das ist eine spirituelle Herangehensweise, sagen Sie: »Ja, man kann es so nennen, wenn es nicht so gewöhnlich wäre.« Es kommt mir so vor, als wenn diese Begriffe für Sie zu hoch gegriffen wären?

Genau. Damit setzt sich jemand vom Gewöhnlichen ab. Aber das Tiefste ist für mich der ganz gewöhnliche Vollzug.

Mit Vollzug meinen Sie: Im gewöhnlichen Leben das Anstehende gut vollbringen.

Richtig. Das, was ansteht in einer Beziehung, mit Kindern, im Beruf. Das sind Vollzüge. Wer da mitschwingt, hat eine gute Wirkung auf andere.

Sie meinen, es gibt zu viele Menschen, die gerne außerordentlich sein wollen und sich mit bestimmten Etiketten schmücken. Z.B. daß sie jetzt auf dem spirituellen Weg sind oder daß sie meditieren.

Ja genau. Denn wenn ich sie anschaue, sind viele ganz leicht. Sie haben wenig Gewicht, verglichen zu jemand, der in seiner harten Arbeit steht. Ein Bauer etwa, der morgens seine Kühe füttert und dann aufs Feld geht... was hat der für ein Gewicht im Vergleich zu einem, der sagt: »Ich meditiere«!

Das ist gemein.

Das seelische Gewicht

Die Frage ist: Was gibt den Menschen eigentlich Gewicht?

Man kann das sofort bei jedem ablesen. Am meisten engagiert sind diejenigen, die Kinder haben. Die haben auch das höchste spezifische seelische Gewicht.

Auch, wenn es in diesen Familien absolut neurotisch, krank und unangenehm zugehen kann.

Das ist davon unabhängig.

… und die Eltern oft mit ihren Kindern ganz schlimm umgehen. Es ist so wichtig, diese Ebenen voneinander zu trennen.

Ja. Allein, daß sie diese Kinder haben, zu denen stehen und versuchen, was daraus zu machen: da ist Größe drin.
Ein Mann hat mir mal erzählt: Bei ihnen mußten immer einige Kinder außer Hause sein. Es waren 15 Geschwister. Einige waren immer woanders, weil das Haus zu klein war. Für die Kinder war das gar keine Schwierigkeit. Das gehörte für sie dazu. Aber wenn man sich die Eltern vorstellt, die das alles gemeistert haben in großer Armut – das ist Größe für mich. Während andere, die besonders sein wollen mit Esoterik und Channeling – die schweben. Das sind Leichtgewichte dagegen.

Ist das nicht etwas leichtfertig? Viele finden zur Esoterik, weil sie ein schlimmes Schicksal haben, Krankheit, Tod usw. und dadurch auf der Suche sind.

Das ist natürlich etwas anderes, wenn sich einer nach schwerer Krankheit besinnt und dann dem Schmerz und dem Tod und dem Verlust gelassen ins Auge schaut. Dieses Erleben vertieft Menschen. Schmerz, Krankheit, schweres Schicksal und auch schwere Schuld tragen bei zum spezifischen seelischen Gewicht. Auch Verbrecher haben oft ein hohes spezifisches seelisches Gewicht.

Das heißt, es hat gar nichts Wertendes?

Natürlich ist es eine Wertung. Das höhere spezifische seelische Gewicht ist für mich etwas Wertvolleres. Aber ich bewerte es nicht im Sinne von: Das soll man anstreben. Es ist einfach da oder nicht. Jeder kann das merken.

In der Gegenwart von Menschen mit hohem spezifischen seelischen Gewicht fühlen wir uns in der Regel viel wohler. Es gibt Menschen, die ein schweres Schicksal oder eine Krankheit gehabt haben und dann einen sogenannten spirituellen Weg gehen. Oft verlieren sie ihr Gewicht dadurch, daß sie diesen Weg gehen.

Das verstehe ich nicht.

Sie stellen sich dann der Krankheit nicht mehr, sie sagen: »Gott hat mich errettet.« Die erheben sich und fahren ab. Das schwere Leid wird quasi aufgehoben und nicht mehr angeschaut. Dadurch verliert es die Kraft, die es hätte haben können.

Was meinen Sie, wenn Sie sagen: »Spezifisches seelisches Gewicht gibt Kraft.« Wofür?

Wenn jemand sagt: Nach dieser Krankheit habe ich mich zu Gott bekehrt, dann ist in meinen Augen die Krankheit umsonst gewesen. Er geht jetzt einen Weg, auf dem er sich dem Ernst dessen, was war, nicht mehr stellt. Er geht von der Erfahrung weg. Die Krankheit, die Gefährdung, die Todesnähe sind nicht mehr präsent. Statt dessen hat er jetzt ein Bild von Gott, der ihn errettet hat, oder er dankt der Mutter Gottes oder wem auch immer. Man kann sehen, daß es ihm Kraft wegnimmt.

Über die Inhalte will ich da gar nichts sagen. Das hat mit Gott, Maria etc. gar nichts zu tun. Ich sehe nur die Wirkung, die das hat. Wenn so jemand dann von Gott redet, wenden sich andere eher ab. Das ist etwas, was ich bei Menschen gesehen habe, die den esoterischen, nicht so sehr den spirituellen Weg eingeschlagen haben.

Das Spirituelle

Spirituell oder esoterisch. Das ist für Sie ein Unterschied?

Das Spirituelle ist für mich positiv besetzt. Im Sinne von vergeistigt, von Weisheit. Es geht in die Weite und schließt ein. Das Esoterische dagegen ist sozusagen exklusiv. Ein spiritueller Mensch hält sich nicht für besser, ein esoterischer in der Regel schon. Das liegt im gängigen Begriff des Esoterischen: Sie wollen etwas ergründen, um es dann in der Hand zu haben. Sie wollen geheimes Wissen haben, das sie von anderen abhebt. Aber wenn sie damit befaßt sind, verlieren sie den Kontakt mit den ganz normalen Bezügen des täglichen Lebens.

Also für Sie ist Esoterik negativ besetzt, wenn der Kontakt zum Irdischen und Alltäglichen verlorengeht?

Ja. Manche weigern sich dann, das Naheliegende zu tun. Da gibt es zum Beispiel einen berühmten geistlichen Lehrer, der viele spirituelle Bücher geschrieben hat. Er hatte einen unehelichen Sohn, um den er sich nie gekümmert hat. Was sollen all seine Bücher, wenn man das genau betrachtet? Der Sohn lebte in London. Er hat ihn nie gesehen. Er hätte ein anderes seelisches Gewicht gehabt, wenn er sich um seinen Sohn gekümmert hätte. Das ist jetzt sehr extrem formuliert.

Ein anderes Beispiel: Eine Bekannte von mir hat ein Buch von einem bekannten »Meister« übersetzt. Er lebte in der Türkei und hat sich dort der Esoterik zugewandt. Kurz vorher hat er seine Tochter und seine Frau verlassen und sich nie mehr um sie gekümmert. Was soll da der ganze esoterische Weg?

Sie sind so streng?

Ja schon. Ich finde das ein starkes Stück. Buddha hat es genauso gemacht. Er hat Frau und Kind zurückgelassen und ist den spirituellen Weg gegangen. Das gibt es vielleicht als außerordentliche Berufung. Aber ich bin da sehr vorsichtig. Auf der anderen Seite gibt es bei diesen Wegen auch etwas, das segensreich wirkt. Von Buddha so etwas Einschränkendes zu sagen, ist eine Anmaßung. Natürlich hat er eine riesige Bewegung ausgelöst, die sehr viel Gutes bewirkt hat. Aber ich sehe auch, daß sie einen seltsamen Ursprung hat.

Jemanden verlassen und jemanden im Stich lassen – ist das nicht zweierlei?

Na gut, aber normale Menschen sagen dann nicht, daß sie etwas Besonderes sind. Die sagen vielleicht: Ich bin ein armer Sünder. Wenn aber einer sagt, er gehe einen besonderen Weg, und ich sehe, daß so etwas am Anfang steht, dann frage ich mich schon: was läuft da ab?

»Fortschritt ist mit Schuld verbunden«

Treue und Rebellion

Wie kamen Sie darauf, vor allem Schuld, Schuldgefühl und Gewissen zu beobachten?

Das ist das, was in der Therapie laufend vorkommt. Viele kommen nicht darüber hinweg. Da wird oft deutlich, daß das Bedürfnis nach Unschuld ein kindliches Bedürfnis ist. Es ist das Bedürfnis, daß die Eltern sagen: »Du bist gut.« So jemand schaut dann nur auf die Eltern und nicht auf die Wirklichkeit. Er kann nicht mehr unterscheiden, was gut für ihn ist oder schlimm im Sinne von lebensfördernd oder lebenshemmend. Er kann nicht ausbrechen. Wenn er ausbricht, fühlt er sich schuldig. Aber der Fortschritt ist immer mit Schuld verbunden.

Fortschritt verbunden mit Schuld?

Es kann niemand fortschreiten, ohne daß er sich auch der unausweichlichen Schuld stellt und ihr zustimmt. Ein ganz simples Beispiel: Ein Kind geht aus der Familie und heiratet. Es trennt sich von der Familie und verbindet sich vielleicht mit einem Partner, der der Familie nicht genehm ist. Aber es ist der Partner für sein Herz. So jemand kann nur heiraten, indem er gegen die Normen seiner Eltern verstößt.
Jedes Kind, das sich entwickelt, muß Verbote übertreten. So entstehen Fortschritte. Die Eltern verbieten etwas, weil sie verbieten müssen. Aber oft müssen sie zugleich heimlich hoffen, daß das Kind ihr Verbot übertritt. Wenn das Kind das nicht tut, ist es schlimm, sowohl für das Kind als auch für die

Eltern. Wenn Eltern dem Kind alles erlauben, ist das für das Kind ebenfalls schlimm. Das Kind kann keine seelische Kraft gewinnen, wenn alles erlaubt ist. Daher ist diese Entwicklung nur möglich durch eine Übertretung. Das ist jedesmal eine Ich-Stärkung. Zugleich ist das Kind auf einer anderen Ebene mit seinen Eltern verbunden.

Das heißt, es ist schlimm für ein Kind, wenn es Eltern hat, die alles erlauben?

Ganz schlimm. Es kann sich nicht orientieren. Und vor allem, es kann keine Ich-Stärke entwickeln.

Sie haben gesagt, ein Kind sei ohne Selbstsucht. Es würde sogar sterben …

Das ist natürlich nur die eine Ebene. Auf einer anderen Ebene ist das Kind sehr selbstsüchtig. Das muß es auch sein, um zu überleben. Die Schwierigkeit ist, daß man die Vielschichtigkeit seiner Reaktion oft nicht wahrnimmt. Was ein Kind sagt, ist die eine Sache, was es wirklich will, eine andere. Ein Kind kann als Rebell erscheinen und gleichzeitig auf einer ganz tiefen Ebene treu sein. Wenn der Betrachter zu eng fokussiert, dann sieht er nur die eine Seite.

Nun gibt es auch Kinder, die Familien völlig durcheinanderbringen. Da ist keine Rede von Treue oder so etwas. Kinder, die ständig quer stehen zur Familie. Wenn man jetzt sagt: Kinder sind selbstlos und voller Hingabe, dann klingt das so, als wenn Kinder ideelle Wesen wären; jenseits von gut und böse.

Meine Beobachtung ist: jedes Kind handelt aus Liebe. Auch wenn es stört, handelt es aus Liebe. Man muß nur den Punkt finden, wo die Liebe sitzt. Wenn man den gefunden hat, wird sein Verhalten auf einmal völlig klar.

Ich habe in einem Heim für schwererziehbare Mädchen einen
Kurs für diese Mädchen und deren Eltern gegeben. Die
Erzieher der Mädchen hatten mich eingeladen, und ich habe
dort die Familien dieser Mädchen im Beisein ihrer Eltern
aufgestellt. Bei allen Aufstellungen gab es die gleiche Dynamik: »Lieber verschwinde ich als du.« Niemand hatte vorher
bemerkt, wie sehr diese Mädchen ihre Eltern liebten. Als das
ans Licht kam, waren die Erzieher und Therapeuten, die so
viele Schwierigkeiten mit diesen Kindern hatten, sehr berührt. Sie haben auf einmal verstanden, was diese Mädchen
wirklich machen und warum sie sich schlimm verhalten.

Zum Beispiel?

Zum Beispiel werden sie drogensüchtig. Das ist eine Form
des Sterbenwollens, damit der Vater oder die Mutter nicht
weggeht.
Eines der Mädchen hatte sich im Heim vom Dach gestürzt.
Bei der Aufstellung wurde aber ganz klar, daß ihr Vater
sterben wollte. Dieser Vater wiederum wollte seinem toten
Vater nachfolgen. Dann sagte das Kind innerlich zu seinem
Vater: »Lieber sterbe ich als du.«
Wenn man das ans Licht bringt, gibt es Heilungsmöglichkei-
ten. Nur: Es ist schwer, dem Kind das beizubringen. Es lebt
ja ein Bedürfnis aus auf einer archaischen Ebene. Es meint:
»Wenn ich das Schwere trage, dann ist der Vater davon
erlöst.« Unter Christen ist diese Vorstellung ja sehr verbreitet.

Wenn diese Dynamik ans Licht kommt, zeigt man dem Kind,
daß sein Leiden dem anderen nicht hilft. Nun muß es auf die
Machtvorstellung, die es mit seinem Leiden oder Sterben
verbindet, verzichten. Es müßte nun auf einer höheren Ebene
lieben, indem es sagt: »Lieber Papa, was immer du tust, ich
bleibe. Ich habe das Leben von dir bekommen und ich nehme

es und achte es.« Dann trennt es sich vom Vater mit Liebe und Achtung.

Das ist wieder ein gewaltiger Schritt zur Ich-Stärkung. Das Sterben mit der Vorstellung, daß es jemandem hilft, ist leichter.

Umgekehrt ist es für viele Helfer schwerer, einem sein schlimmes Schicksal, das unausweichlich ist, zu lassen, anstatt hinzugehen und einzugreifen. Oft greift jemand ein, weil *er* es nicht aushält, nicht weil der Klient so leidet. Natürlich gibt es auch noch andere Dynamiken.

Sie stellen das auf, und diese Dynamik kommt heraus – haben die Mädchen das verstanden?

Einige haben es verstanden und bei zweien hatte ich den Eindruck, ihr Schicksal ist unabwendbar. Dann darf man nicht weiter eingreifen. Ich habe etwas ans Licht gebracht, mehr darf ich da nicht tun. Es wäre auch völlig für die Katz. Wenn die Wirklichkeit nicht hilft, was soll denn dann noch helfen?

Die eigentliche Hilfe kommt nicht von Menschen, sondern von der Wirklichkeit?

Von gesehener Wirklichkeit. Wenn die Wirklichkeit am Licht ist, kann man ihr nicht mehr ausweichen. Selbst diejenigen, die ihr nicht folgen, sind zumindest nicht mehr so unschuldig. Es ist ihnen klar, was sie machen. Sie können es nicht mehr mit der gleichen Unschuld tun wie vorher.

Das heißt, so eine Aufstellung ist auch eine Art Abschied von der Unbeflecktheit, der Unschuld.

Genau. Die meisten Aufstellungen zeigen, daß derjenige, der als böse oder als verhaltensgestört galt, gut ist, motiviert von einer tiefen Liebe. Und viele, die sich für besser gehalten haben, stehen plötzlich als solche da, die eine schlimme

Dynamik in Gang gebracht haben. So gibt es eine neue Sicht für jeden.

Der Unschuldige muß sich plötzlich mit der Wirkung seiner Überheblichkeit auseinandersetzen, und der »Schuldige« kann sehen, er hat es gut gemeint. Er kann mit sich selbst mehr ins reine kommen und dann sein schlimmes Verhalten vielleicht lassen.

»Das Sein ist jenseits von Leben«

Über den Tod

In den Familienaufstellungen geht es ja nicht nur um die Lebenden, sondern vor allem auch um die Toten. Sind die gestorbenen Familienmitglieder immer präsent?

Alle, die bis in die Großelterngeneration und manchmal noch bis zu den Urgroßeltern erinnert werden können, wirken, als wären sie da. Vor allem jene, die vergessen oder ausgeklammert wurden.

Also eine empirische Form, die Geister auszumachen.

Wenn man sich Geistergeschichten anhört, sind Geister Wesen, denen man die Zugehörigkeit verweigert hat. Sie klopfen an, bis sie ihren Platz bekommen. Wenn sie den haben, geben sie Frieden. Ich kann das bei den Familienaufstellungen sehen. Wenn die Ausgeschlossenen und die Gefürchteten ihren Platz haben, dann geht von ihnen Gutes und Heilendes aus, nichts Störendes. Wenn sie aufgenommen sind, gehen sie auch wieder. Sie lassen die Familie in Frieden und geben den Lebenden Kraft.

Es gibt die Tradition, die Toten über Tage im Haus aufzubahren und zu betrauern, damit sie gehen und die Lebenden sich verabschieden können.

Das reicht nicht. Bei den Zulus ist es so: Der Tote wird begraben und nach einem Jahr wird er durch einen Ritus in das Haus zurückgeholt. Seine Familienmitglieder nehmen einen Ast und stellen sich vor, der Ahne sitzt jetzt auf dem Ast. Er wird in die Hütte heimgeholt. Ein bestimmter Teil der Hütte ist für die Ahnen reserviert, und dort bekommt er seinen Platz. Dort, wo das Bier steht, da hausen die Ahnen. Wenn man Bier trinkt, gibt man den Ahnen auch ein paar Tropfen.

Ähnliche Riten gibt es anderswo auch. In Thailand z.B. Obwohl die Thailänder Buddhisten sind, gibt es einen alten Ritus, der dem Buddhismus eigentlich widerspricht. Da wird der Tote begraben, und beim Totenmahl wird ein Platz für ihn reserviert, damit er dabei ist.

Wenn wir bei uns eine Kerze für einen Toten anzünden, ist er in der Kerze präsent. Wenn der Tote seinen Platz hat, ist er friedlich und wird als eine gute Kraft erlebt.

Bei uns ist das ja nicht mehr so üblich.

Als Psychotherapeut bringe ich die Toten wieder ins Spiel, damit sie aufgenommen werden – z.B. in der Familienaufstellung. Bei uns werden so viele krank oder gestört, weil einige aus dem System ausgestoßen sind. Oft sind das Verstorbene. Wenn man die wieder hereinholt, sind die anderen wieder frei. Die Thailänder machen das in einem Ritus, wir machen es mit Psychotherapie. Im Vorgang und in der Wirkung ist kein großer Unterschied.

Unser Verhältnis zum Tod ist nun mal angstbesetzt.

Ja, sehr. Das hat damit zu tun, daß das Leben isoliert gesehen wird, als persönlicher Besitz, den ich hüte und ausnutze, solange es geht. Aber ich kann es auch genau umgekehrt sehen: daß ich vom Leben in Besitz genommen bin. Oder von einer Kraft, die mich ins Leben bringt, die mich hält und die mich wieder fallenläßt. Diese Sicht erscheint mir viel näher an der Wirklichkeit.

Wenn man sich in das Ganze einfügt, erlebt man so etwas wie eine tragende Kraft. Aber es ist eine Kraft, die auch Leid bringt. Was die Welt voranbringt, ist nicht unser Glück, sondern etwas ganz anderes. Dafür sind wir in den Dienst genommen. Dem müssen wir uns fügen. Am Ende fallen wir aus dem Leben zurück in etwas, von dem wir nichts wissen.

Wir sind ja auch nicht plötzlich da. Wir kommen durch unsere Eltern. In ihnen fließt etwas zusammen, was uns das Leben gibt, eingebettet in etwas Großes. Wir sind schon vorhanden, sonst könnten wir nicht werden. Und wenn wir sterben, sind wir nicht weg. Wir sind zwar den Lebenden nicht mehr sichtbar. Aber verschwinden? Wie sollen wir denn verschwinden?

Das Sein, dieses Tiefere, das hinter allem wirkt, ist jenseits von Leben. Das Leben ist, verglichen mit dem Sein, etwas Kleines und Vorübergehendes.

Von dieser Perspektive aus gesehen, versäumt ein Kind nichts, wenn es früh stirbt. Wir sagen: »Das arme Kind, es ist so früh gestorben, und der Opa darf neunzig sein.« Na gut, wenn der Opa tot ist, was unterscheidet ihn dann von einem Kind, das nach einem Tag gestorben ist? Beide fallen in das Vergessen und in dieses Sein, das jenseits unserer Vorstellung ist. Es gibt da keinen Unterschied mehr.

Rilke hat die Vorstellung, wenn wir die früh Verstorbenen betrauern, beschweren wir sie damit, anstatt sie gehen zu lassen. Wir können sie gehen lassen, weil wir wissen, wir kommen auch.

Ich verwende in der Therapie einen Spruch, der uns mit den Toten solidarisch macht, so daß wir das Leben ohne Anmaßung ihnen gegenüber nehmen können. Der Spruch heißt: »Du bist tot, ich lebe noch ein bißchen. Dann sterbe ich auch.« Dann sind die Toten mit im Blick, und das Leben ist nicht als etwas Außerordentliches abgehoben vom Tod.

Das Leben ist das, was mir noch bleibt. Nicht, weil es besser ist oder schlechter. Aber ich weiß: Das Eigentliche, in dem alles zusammenfließt, liegt jenseits des Lebens.

Aber auch jenseits des Todes. So gesehen sind Leben und Tod nur zwei Existenzweisen.

Es sind zwei Reiche, die ineinander wirken. Deshalb wirken die Toten auch in unser Leben hinein. Und vielleicht auch wir in das Leben der Toten, z.B. wenn wir sie loslassen.

Das ist eine archaische Vorstellung.

Himmel und Erde

Es ist eine allgemein menschliche Vorstellung. Wie immer die Menschen darüber reden. Die einen sagen Himmel, die andern Nirwana, wieder andere sagen: »Wir wissen es nicht.« Es spielt keine Rolle, wie es genannt wird. Es kommt auf diese innere Bewegung an. Ich kann das Leben dann als etwas Vorläufiges ansehen.

Nun meinen manche, man könne deshalb die Gegenwart versäumen. Sie schauen dann mehr auf den Himmel. Andere meinen, sie kommen da nur hin, wenn sie das Irdische verlassen, wie etwa die Asketen. Nach der Devise: Wenn ich mich genug geißele oder immer nur meditiere, dann komme ich schon jetzt ins Nirwana. Da wird die Gegenwart als Hindernis betrachtet für das Spätere.

Das ist eine seltsame Vorstellung. Denn das, was kommt, ist im Jetzigen gegenwärtig. Wenn ich in mir ruhe, bin ich mit dem einen und mit dem anderen in Verbindung.

Ich habe mal einen Sinnspruch geschrieben. Manche finden ihn unverständlich: »Der wahre Weg steht.« Indem ich stehe, bin ich auf dem wahren Weg. Ich muß ja nirgendwo hin. Ich bin schon mit allem verbunden, und ich habe Teil an dem gesamten Reichtum, indem ich gesammelt bei mir bin und das, was unmittelbar vor mir ist, ernst nehme und ohne großen Anspruch erfülle.

Der Alltag als Übung?

Wenn ich es als Übung nehme, geht mir das schon wieder zu weit. Ich brauche nur zu leben.

Was heißt nur? Unser Leben ist zwar diesseits orientiert, aber überhaupt nicht darauf, im Moment zu sein. Die Menschen hetzen durchs Leben, immer auf der Suche, um in diesem einen Leben möglichst viel zu bekommen, zu unternehmen, zu erleben. Denn danach soll ja alles vorbei sein. Angesichts dieser hektischen, unruhigen und nach außen und auf die Zukunft gerichteten Lebenshaltung ist dieses Nur-einfach-da-Stehen und sagen: »Es ist schon alles da« eine Haltung, die geübt werden muß. Nicht umsonst blüht bei uns ein riesiger Entspannungsmarkt, der offensichtlich auch sehr gefragt ist.

Es gibt natürlich Traditionen, die da helfen können. So, wie ich in die Schule gehe und von jemandem lerne, der schon mehr weiß als ich. Aber es gibt auch im spirituellen Bereich eine Art der Übung, die hektisch ist, die etwas haben will, genau wie mit anderen Dingen auch. Da gibt es dann diese harten Übungen. Sie unterscheiden sich im Wesen von der anderen Hektik in keiner Weise.

Sie meinen, es gibt dieses Machenwollen auch im Gebrauch spiritueller Praktiken.

Ja. Viele der New Age Praktiken erscheinen mir wie spirituelles Fast food. So, als könnte man sich eine solche Einstellung ohne lange Vorbereitung kurz antrainieren. Doch das ist ein Wachstumsprozeß. Weisheit wird nicht gefunden, weil man sie sucht. Sie wächst aus vielen Vollzügen und ist auf einmal da. Ganz leicht, ohne Anstrengung.

»In der Seele an Größeres rühren«

Wie Lösungen gelingen

Die Familienaufstellungen haben ja etwas von einem Ritual.

Die Lösungen haben etwas von einem Ritual, nicht die Aufstellung selbst.

Allein schon die Anordnung des gesamten Geschehens empfinde ich als rituell: Es ist ein großer Kreis, einer kommt in diesen Kreis, Sie stellen ihm Fragen über seine Familie, er stellt seine Familie auf, er setzt sich. Sie befragen die aufgestellten Personen, Sie stellen die Personen um und dann gibt es unter Umständen zum Schluß lösende Sätze. Das hat eine ganz klare Dramaturgie, die immer wieder gleich ist.

Der Begriff des Rituals bringt diese Arbeit in einen anderen Kontext. Das Familien-Stellen ist eine Methode. Auch ein Haus kann ich nur bauen, wenn ich die Steine aufeinanderlege. Das ist deswegen noch kein Ritual.

Was stört Sie daran, das als ein Ritual zu bezeichnen?

Ein Ritual hat einen religiösen Hintergrund, das Familien-Stellen nicht. Die Lösung hat manchmal etwas von einem Ritual. Aber das Aufstellen ist nur eine Methode.

Ich habe Sie einmal gefragt, warum diese Aufstellungen überhaupt funktionieren. Da stehen wildfremde Leute, die keine Ahnung von der Biographie des Klienten haben, mit dem Sie arbeiten. Und die sollen so fühlen wie die Menschen aus der Ursprungsfamilie des Klienten? Sie haben damals gesagt: Natürlich ist das nicht der

Stellvertreter, der da agiert und fühlt. Der Stellvertreter ist nur das Gefäß, durch das der Klient einen neuen Zugang zu seinem Ursprung finden kann.

So gesehen hat es etwas von einem Ritual.

Fängt das Ritual nicht schon da an, wo Menschen hingestellt werden und im Grunde genommen ein Teil des Menschlichen an sich verkörpern? Die Menschen bekommen durch denjenigen, der sie aufstellt, die Fähigkeit, etwas zu verkörpern, von dem sie nichts wissen. Und sie können das intuitiv, weil sie Menschen sind. Oder?

Die Tiefe

Ja. Die Frage ist: Wie ist so etwas möglich? Es gibt eine Tiefe, in der alles zusammenfließt. Sie liegt außerhalb der Zeit. Ich sehe das Leben wie eine Pyramide. Oben auf der ganz kleinen Spitze läuft das ab, was wir Fortschritt nennen. In der Tiefe sind Zukunft und Vergangenheit identisch. Dort gibt es nur Raum, ohne Zeit. Manchmal gibt es Situationen, in denen man mit dieser Tiefe in Verbindung kommt. Dann erkennt man z.B. Ordnungen, verborgene Ordnungen, und kann in der Seele an Größeres rühren.

Und diese Ordnungen wiederholen sich im Raum und können über weite Entfernungen erkannt und dargestellt werden?

Der Raum

Ja. Vielleicht erhellt das Konzept der Fraktale, was geschieht. Der Nobelpreisträger Gerd Binnig vertritt in seinem Buch

»Aus dem Nichts«[*] die These: Vor der Evolution der Materie und des Geistes müsse es die Evolution des Raumes gegeben haben. Der Raum ordnet sich symmetrisch, und diese Ordnung wiederholt sich immer wieder auf die gleiche Weise. Ein Blatt z.B. ist wie der ganze Baum aufgebaut. Jedes Blatt ist verschieden, doch es folgt der gleichen Ordnung.

Wenn ich eine Familie aufstelle, können die einzelnen, die da drinnen stehen, genau fühlen, was in dieser Familie vorgeht, obwohl die wirklichen Mitglieder weit entfernt sind. Die Ordnung dieser Familie wiederholt sich in dieser Aufstellung. Durch die Aufstellung habe ich plötzlich Zugang zu einer Wirklichkeit, die mir im Denken verschlossen ist. Es kommt etwas ans Licht, was bisher verborgen war. Wenn es am Licht ist, kann ich ausprobieren, ob es eine Lösung gibt.

Aber so, wie die wirkliche Familie in dieser Aufstellung gegenwärtig ist, so wirkt auch die Lösung von der dargestellten Familie auf die wirkliche Familie zurück. Selbst wenn die nichts davon wissen.

Weil es diese Verbindung im Raum gibt?

Ich kann es nicht erklären. Doch ich bringe ein Beispiel. Eine junge Frau hatte einen Selbstmordversuch hinter sich und hat ihn überlebt. Wir haben dann die Familie aufgestellt und gesehen, daß sich eigentlich ihre Mutter umbringen wollte. Der Vater der Mutter hatte sich ertränkt.

Sie sagen, daß das Mädchen den Selbstmordversuch anstelle ihrer Mutter gemacht hat, die eigentlich ihrem Vater nachfolgen wollte?

[*] Gerd Binnig: Aus dem Nichts. Serie Piper 1992, S. 143 ff.

Ja. Wir haben dann diesen Vater hereingenommen und zur Mutter gestellt. Die Lösung war, daß sich die Mutter an ihren Vater lehnt und der Tochter sagt: »Ich bleibe.«

Der Vater der Klientin hatte seine Tochter zu diesem Kurs begleitet und war mit im Raum. Die Mutter war zu Hause in Deutschland. Die Aufstellung war an einem Sonntagmorgen in der Schweiz. An diesem Sonntag, zur gleichen Zeit als in der Schweiz die Familie aufgestellt wurde, ist die Mutter zu Hause mit dem Hund über eine Brücke spazierengegangen. Diese Brücke führte über den Fluß, in dem sich ihr Vater ertränkt hatte. Jedes Mal, wenn sie an die Brücke kam, hat sie sich an das linke Brückengeländer gestellt, flußaufwärts geschaut zu der Stelle, an der sich ihr Vater ertränkt hat, und für den Vater ein Gebet gesprochen. An diesem Sonntagmorgen war sie auf der Brücke und wollte wieder das Gebet sprechen. Da fühlte sie sich an der Schulter genommen und auf die andere Seite der Brücke geführt. Dort überkam sie ein großes Glücksgefühl, das sie sich nicht erklären konnte. Ihr Kopf wurde flußabwärts gedreht, und sie hatte plötzlich das Gefühl: jetzt darf ich mit dem Strom des Lebens schwimmen. Früher hat sie in der Familie oft damit gedroht, sie werde sich umbringen. Das war mit einem Mal verschwunden.

Da hat über die räumliche Entfernung etwas gewirkt, ohne daß die Frau etwas von der Aufstellung wußte. Die Aufstellungen wirken also in die Familie hinein, selbst wenn davon nichts erzählt wird. Das sind geheimnisvolle Zusammenhänge.

Umgekehrt kann durch die Aufstellung etwas aus der Familie sichtbar werden, obwohl sie weit entfernt ist. Das gilt nicht nur, wenn jemand aus der Familie die Familie aufstellt. Es kann auch ein Therapeut diese Familie aufstellen, ohne daß das Familienmitglied gegenwärtig ist.

Ein Beispiel: In einer Zeitschrift war ein Fall beschrieben von einer schizophrenen Tochter, und die Annahme war, daß

Psychosen durch Familiengeheimnisse entstehen können. Als ich das gelesen habe, war mein Eindruck, daß die Tochter schizophren geworden ist, weil es in der Familie zwei früh Verstorbene gab. Ich habe Gunthard Weber gebeten, diese Familie in einer Gruppe aufzustellen. Er kannte die Familie nicht, und der Gruppe wurde nicht gesagt, um was für eine Familie es sich handelt. Als er diese Familie aufstellte, fühlte sich die Frau, die die schizophrene Tochter darstellte, sofort verrückt. Sie war völlig verwirrt. Dann haben wir die beiden Toten hereingebracht, von denen wir dachten, daß sie eine Rolle spielten. Die eine war eine früh verstorbene Schwester der Mutter des schizophrenen Mädchens und die andere ein früh verstorbenes Kind der Mutter, also eine Schwester der Patientin. Sobald die beiden aufgestellt waren, fühlte sich die Stellvertreterin der Patientin wieder völlig normal.

Das hört sich an wie Magie. Oder wie ein Beispiel für die morphogenetischen Felder von Rupert Sheldrake. Kann man die Wirkung der Familien-Aufstellungen auf diese Weise erklären?★

★ Die Theorie der morphogenetischen Felder stammt von dem englischen Biologen Rupert Sheldrake. Sie besagt, daß eine Vererbung nicht nur über die Gene stattfindet, sondern über morphische Felder. Durch diese Felder gibt es eine Art kollektives Gedächtnis der jeweiligen Art. Das Feld wird durch jedes Individuum dieser Art bereichert. Umgekehrt ist jedes Individuum aber auch an dieses Gedächtnis »angeschlossen«. Morphische Felder gibt es, so Sheldrake, wie elektromagnetische Felder. Ein Beispiel: In Southhampton entdecken verschiedene Meisenarten die Milch als Nahrungsmittel. Sie reißen die Deckel mit ihren Schnäbeln ab und trinken, soweit ihre Schnäbel reichen. Über die Jahre beginnen auch die Meisen in anderen Orten, Milch auf diese Art zu trinken. Während des Krieges verschwand die Milch. Doch die Nachkriegsmeisen, die das

Eigentlich sind mir solche Theorien völlig egal. Ich sehe ja, *daß* es so etwas gibt. Nachträgliche Erklärungen bringen nichts für die praktische Arbeit. Viele wollen sich ein Bild machen, wie so etwas möglich ist. Ich brauche solche Erklärungen nicht, um damit arbeiten zu können.

Aber es ging ja noch einmal um etwas anderes. Wir sprachen über die Aufstellung als Ritual. Mein Bild ist: wenn ich jedem Menschen Wurzeln wachsen lasse bis ins Innere der Erde, dann ist er in Kontakt mit dem Menschlichen an sich, und deshalb kann dieser Mensch Gefühle haben, die nicht seine sind. Es wächst ihm quasi zu aus diesem Urgrund.

Mir geht das zu weit. Ich sehe es mehr an der Oberfläche. Die Familie, das sind mehrere Personen, die räumlich in einer bestimmten Beziehung zueinander stehen. Wenn jemand seine Familie aufstellt, überträgt er ins Räumliche, was in dieser Familie abläuft. Wenn er sie richtig aufstellt, sind jene, die in der Aufstellung stehen, nicht mehr in ihrem eigenen Familiensystem, sondern in einem anderen. Sie können dann genau wahrnehmen, was in diesem System vor sich geht.

Man kann sehr häufig von vornherein sagen, ob einer seine Familie richtig aufgestellt hat oder nicht.

Das können Sie sagen?

Sofort. Vor kurzem hat eine Frau ihre Familie aufgestellt. Ich habe zu ihr gesagt: »Du hast nicht richtig aufgestellt. Hast du

---

nie erlernt haben konnten, begannen rasch wieder mit dem Milchraub. Sheldrake will damit sagen, daß Fähigkeiten über das morphogenetische Feld einer Art vererbt werden, über dieses kollektive Gedächtnis eben.

das schon mal aufgestellt?« Sie sagte: »Ja.« Ich fragte sie: »War das so, wie du es jetzt aufgestellt hast?« Sie sagte: »Ja.« Ich habe sie dann die Familie nochmals aufstellen lassen, ganz gesammelt. Daraufhin hat sie die Familie völlig anders aufgestellt.

Wie können Sie das bewerten und einfach sagen: »Das ist nicht richtig aufgestellt«?

Ich sehe ja das System. Wenn jemand über sich redet, habe ich ein gewisses, wenn auch nicht ganz klares Bild von seinem System. Wenn es davon eine Abweichung gibt, merke ich es sofort. Wie wenn man einen falschen Ton hört.

Das wäre ja so etwas Ähnliches, wie wenn Menschen sagen, sie können die Aura von anderen sehen. Sie nehmen sozusagen die systemische Aura wahr?

Das geht mir viel zu weit. Wenn ich mit jemandem arbeite, dann bin ich nicht im Ich, da denke ich nicht. Ich gehe in meine Seele, und habe dann ein ungefähres Gespür: ist es im Einklang oder nicht. Das hat alles Unschärfen, es ist niemals ganz klar. Aber ich kann damit arbeiten.

Das hat etwas mit Schauen zu tun, nicht mit Beobachten?

Die Weite

Ich habe einmal den Unterschied zwischen Ich und Selbst in einer Bewegung dargestellt. Zum Ich gelange ich, wenn ich meine Hände von unten und weit außen nach oben zusammenführe, bis sie sich in der Spitze berühren. Zum Selbst gelange ich durch die umgekehrte Bewegung, von der oberen Spitze zur Weite unten.

Nach Ihrer Bewegung würde ich sagen: Beobachten ist Fokussierung auf einen Punkt hin. Wahrnehmen heißt dagegen in die Weite des Raumes schauen.

Genau. Beim Fokussieren sehe ich die Details, kann aber nicht das Ganze sehen. Ein Forscher, der den Baum als Forscher anschaut, kann nicht den Baum als Baum wahrnehmen. Er sieht die Details. Ein Maler dagegen sieht das Ganze. Oder ein Dichter. So gehe ich mit Menschen systemisch um. Ich schaue mir nicht die einzelne Person an, sondern ich sehe ihn eingenetzt in ein Bezugssystem.

Manche sagen: Der Hellinger hat einen pastoralen Ton. Hat das etwas zu tun mit dieser Schau?

Vielleicht. Mir hat mal eine Frau geschrieben: »Sie sprechen nicht zum Ich, Sie sprechen zur Seele.«
Die Seele ist in Verbindung mit mehr. So kommt mir manchmal plötzlich, wo die Lösung liegt, und ich sehe Zusammenhänge, die man nicht ableiten kann.
Z.B. habe ich gesehen: Wenn jemand einen Bart trägt, hat er eine Mutter, die seinen Vater verachtet und sich für besser hält. Und beim Vater seines Vaters war es genauso. Oder wenn jemand die Geschichte von »Hans im Glück« als eine Geschichte wählt, die ihn anzieht, hat oft ein Großvater ein Vermögen verloren. Oder auch, daß es die Dynamik gibt: »Lieber ich als du« oder »Ich folge dir nach in den Tod.«

Kommen wir noch mal zurück auf die Frage nach dem Ritual. Ihre Therapie ist ziemlich festgelegt. So wie sie im einzelnen abläuft und dadurch, daß Sie etwa 30 festliegende lösende Sätze haben.

Das sind alles Einzelsätze. Wenn ich damit arbeite, dann variiere ich sie. Wenn man diese Sätze einfach nur spricht, dann ist man nicht im Kontakt. Deshalb ist es eben kein

Ritual, in dem alles immer gleich abläuft. Es ist ein Ritus, angepaßt an die jeweilige Situation. Es geht immer nur darum: Hilft es oder hilft es nicht? Welches Wort paßt hier, welches nicht? Das überprüfe ich jedesmal neu.

Jede Aufstellung weicht ab. Es gibt keine zwei gleichen Aufstellungen. Dieser Ritus entsteht aus einem Zusammenwirken im Augenblick. Er ist nicht wiederholbar.

Sie haben einmal gesagt: »Was einer seinem Therapeuten erzählt, dient der Abwehr.« Wieviel Wissen braucht ein Therapeut über seinen Klienten?

Die Sammlung

Für die Therapie muß ich z.B. nicht wissen, wie die Eltern sind. Wenn einer mir davon erzählt, dann legt sich das wie ein Netz von Bildern und Deutungen um mich und versperrt mir den einfachen Blick auf Eltern. Was ich wissen muß, sind nur Ereignisse im Sinne von: sind sie verheiratet, gibt es Geschwister, ist jemand gestorben, ist jemand ausgeklammert? Dann muß ich wissen, ob es Krankheiten oder Unfälle gegeben hat. Oder auch, ob der Vater z.B. Alkoholiker war. Das ist auch wie eine Krankheit. Mehr brauche ich nicht.

Für das systemische Herangehen reicht das. Würden Sie das auch generell sagen? Das wäre eine ent-individualisierte Art von Therapie. Ihre Therapie ist ja nicht individuell auf die Person zugeschnitten. Denn Sie fragen nach Ereignissen, die auch bei anderen passiert sein könnten. Bei der Familienaufstellung ist das einzig Individuelle, wie der Klient oder die Klientin ihr System sieht.

Gerade das ist nicht individuell. Wenn der Klient es nach dem Bild aufstellen würde, das er sich gemacht hat, wäre es individuell. Aber ich verlange, daß er ganz gesammelt aufstellt und das Bild aus dem Vollzug heraus entsteht. Dann ist es eben nicht ein Bild, was er sich gemacht hat, das er aufstellt, sondern es kommt aus seinem Unbewußten plötzlich ans Licht. Er ist dann selbst vom Ergebnis überrascht.

Aber das Unbewußte ist doch auch etwas Individuelles? Oder ist für Sie Individualität nur das Ich?

Dieses Unbewußte ist sicherlich kein individuelles. Der Klient nimmt etwas wahr, was auch außerhalb seiner Person gültig ist. Wenn ein anderes Familienmitglied die Familie gesammelt aufstellen würde, wäre das Bild im Endergebnis ohne große Differenzen.

Ich hatte vor kurzem so ein Beispiel: Da hat ein Mann sein System aufgestellt. Danach hat seine Frau das System ganz anders aufgestellt. Die Gefühle der Teilnehmer waren aber bei beiden Aufstellungen genau die gleichen. Es gibt natürlich auch Verfälschungen bei den Aufstellungen. Wenn zwei das gleiche System aufstellen, kann man aber sofort unterscheiden, wer von den beiden näher an der Wirklichkeit ist und wer das Bild durch ein persönliches Ziel oder Anliegen verfälscht. Aber auf die Präzision im Detail kommt es ohnehin nicht an.

Gibt es bei den Aufstellungen nichts Individuelles?

Es ist ein Unterschied, ob einer sagt: »Jetzt stelle ich auf«, wie einer, der sich ein Bild gemacht hat, oder ob er im Einklang mit seiner Seele handelt. Im ersten Fall ist der Klient der Handelnde, im zweiten wird er von seiner Seele geführt. Die Seele geht über das Individuum hinaus, sie reicht weiter.

Manche sagen: »Der Hellinger schaut ja gar nicht auf den einzelnen, der sieht das Individuum nicht, der will nichts von den besonderen Problemen des einzelnen wissen.« Werden die Leute bei der Familienaufstellung nicht über einen Leisten gezerrt durch angenommene Ordnungen?

Wenn mir jemand ein Problem erzählt, gibt er mir eine Deutung über sich, seine Familie und seine Situation. Genaugenommen lädt er mich ein, seine Sicht zu übernehmen. Er schildert mir seine Probleme, damit ich eine Lösung suche, die genau dem entspricht, was er in seine Probleme hineinlegt. Er legt mich dadurch von vornherein fest. Er braucht mich im Grunde gar nicht. Er möchte mich zum Handlanger machen für das, was er für die Lösung hält. Das lasse ich nicht zu. Ich behalte mir die Freiheit, selber zu schauen.

Er selber schaut sich das in der Aufstellung auch an, unabhängig davon, wie er bisher seine Situation gesehen hat. Er stellt seine Familie auf, nicht ich. Dabei kommen plötzlich Dinge ans Licht, die in seiner Beschreibung gar nicht vorgekommen wären.

Wie sieht das außerhalb der Familienaufstellung aus? Bei der Gestalttherapie etwa, wo es doch sehr um individuelle Erlebnisse geht. Ist es nicht etwas verkürzt, zu sagen, der Klient zwingt dem Therapeuten seine Sichtweise auf? Natürlich wird in Therapien viel erzählt, aber es geht doch immer darum, spüren zu lernen, statt zu denken, erleben zu lernen, statt zu theoretisieren. Gilt Ihre Aussage: »Was der Klient erzählt, dient der Abwehr« generell?

Auf diese Weise ist das sehr provozierend gesagt. So gilt das natürlich nicht. Der Klient kommt ja, weil er Hilfe sucht. Oft kommt er aber auch, um bestätigt zu werden. Dann schaue ich am Klienten vorbei. Ich schaue ihn gar nicht in dem Sinn an. Ich schaue auf seine Familie, auf die Situation, aus der er kommt. Wenn ich mit jemandem große Schwierigkeiten habe, stelle ich mir vor, er sei vier Jahre alt, und frage mich: »Was ist damals passiert, daß er so geworden ist?« Dann habe ich sofort ein ganz anderes Bild von ihm und bin viel näher am Wesentlichen, als wenn ich auf das höre, was er mir sagt.

Das, was andere machen, will ich nicht über den gleichen Leisten zurren. Ich beschreibe etwas, was ich für meine Art der Arbeit als hilfreich entdeckt habe. Was ein anderer damit macht, geht mich im Grunde nichts an.

Wenn Sie sagen: Ich schaue an ihnen vorbei, klingt das sehr provozierend. Ich stelle mir vor, ich komme zu Ihnen und weiß, der Hellinger schaut über mich hinaus. Der will mich gar nicht sehen ...

Wenn ich jemanden in seiner Familie sehe, mit Vater, Mutter und Geschwistern und den Verstorbenen, nehme ich viel mehr von ihm wahr, sehr viel mehr. Ich schaue auf etwas Größeres und sehe ihn auf diese Weise viel umfassender.

Wenn Sie sagen, Sie schauen vorbei, dann heißt das, Sie lassen sich nicht beeinflussen durch den Redeschwall: »Mein Vater hat immer dies und das gefordert, meine Mutter war depressiv und hat mich nicht geliebt ... Ich habe gelitten, weil mein Bruder immer vorgezogen wurde ...«

So viele Sätze hätte ich mir gar nicht angehört. Das tut mir physisch echt weh. Da hätte ich schon vorher unterbrochen. Ich richte mich da nach meinem Wohlbefinden. Was mir physisch weh tut, kann nicht relevant sein, um es ganz provokant zu sagen.

Das klingt fast überheblich.

Wenn ich in einer Gruppe arbeite, stelle ich fest, daß es den anderen auch so geht. Es ist kein Kriterium, das ich für mich allein in Anspruch nehme. Wenn in der Gruppe einer so redet, wird die ganze Gruppe unruhig. Sie fangen an zu gähnen, sich zu räkeln oder zu reden. Es tut denen auch weh. Sie gehen in ein Abwehrverhalten. Mein Verhalten hat also nichts Willkürliches.

»Ordnungen werden gefunden«

Erfahrung, Freiheit, Ideologie

Sie haben einen ganz speziellen Begriff von Ordnung. Der stößt oft auf Unverständnis. Er klingt nach ordentlich, nach festgelegtem Regelkanon, der die Autonomie des einzelnen einschränkt, es klingt nicht nach Freiheit. Es hat diesen urpatriarchalen Klang. Was meinen Sie, wenn Sie von Ordnung sprechen?

Wenn etwas in Ordnung gekommen ist, dann gibt es ein Gefühl der Erleichterung, von Frieden, von Möglichkeiten, etwas gemeinsam zu tun. Das ist die Bedeutung des einfachen Satzes: »Es kommt in Ordnung.« Plötzlich fühlt man sich erleichtert. Diese Ordnungen werden gefunden, nicht propagiert. Ich finde sie durch das Familien-Stellen.

Das gleiche Recht auf Zugehörigkeit

Können Sie Beispiele von solchen Ordnungen geben, und gibt es bestimmte Regeln, nach denen diese Ordnungen funktionieren?

Ja, wenn man so etwas häufig macht, kann man sehen, was zur Ordnung gehört. Z.B., daß jedes Mitglied einer Familie das gleiche Recht auf Zugehörigkeit hat. Das ist eine Grundordnung: Wer dazugehört, hat auch das Recht dazuzugehören, und zwar das gleiche Recht wie alle anderen. Das ist eine schöne Ordnung. Daraus kann eigentlich nur Gutes entstehen. Wenn ich von dieser Ordnung spreche, richte ich mich nicht nach etwas, das irgendwo verkündet wird, z.B. im Christentum. Denn diese Ordnung wird dort nicht verkündet. Ich rede davon nur, weil sich diese Ordnung bei den Familienaufstellungen als vorhanden und wirksam gezeigt hat. Wenn man sie beachtet, entsteht Gutes. Das kann jeder an sich selbst erfahren und überprüfen. Wenn diese Ordnungen nicht beachtet werden, kommen Menschen in Krisen oder werden krank.

Ich bringe ein Beispiel. Wenn es in einer Familie einen Homosexuellen gab, der verachtet und ausgeschlossen wurde und der dann wieder seinen Platz bekommt, fühlen sich alle erleichtert. Wenn er ausgeschlossen bleibt, wird er später von einem anderen nachgeahmt, ohne daß dieser das merkt. Diese Ordnung wirkt unabhängig davon, ob wir sie kennen oder anerkennen.

Aus diesem empirischen Zusammenhang gibt es für Sie aber doch so etwas wie Verhaltensregeln.

Es gibt Verhaltensweisen oder Einstellungen, die der Ordnung dienen, und es gibt Verhaltensweisen, die eine Ordnung stören. Dann ist es das Ziel der Therapie, etwas, das in Unordnung geraten ist, wieder in Ordnung zu bringen.

Wenn z.B. eine Frau im Kindbett starb oder in einer Familie viele Mitglieder umgekommen sind, dann macht das Angst. Dann will man diese Toten vielleicht nicht anschauen und sie vergessen. Niemand ist deswegen in einem moralischen Sinn böse oder schuldig. Dennoch hat es eine schlimme Wirkung. Man sieht das, wenn man diese Familien aufstellt. Umgekehrt sieht man eine gute Wirkung für die Familie, wenn man die Toten würdigt und ihnen einen ehrenvollen Platz gibt.

Das Recht auf das eigene Schicksal

Zu diesen Ordnungen gehört auch, daß man jedem sein Schicksal zumuten muß.

Wenn z.B. in einer Familie der Vater oder die Mutter sterben wollen, weil ihre Geschwister umgekommen sind, dann gibt es bei ihren Kindern den Drang, den Eltern in den Weg zu treten und an ihrer Stelle zu sterben. Doch das ist ein Verstoß gegen die Ordnung. Die Kinder maßen sich etwas an, was ihnen nicht zusteht. Obwohl man sie deswegen nicht schuldig sprechen kann − sie tun es ja aus Liebe −, hat es schlimme Folgen für alle. Ein solches System kommt erst wieder in Ordnung, wenn die Kinder Vater oder Mutter gehen lassen, so schwer es ihnen auch fällt. Das gehört hier zur Ehrerbietung. Doch wenn den Eltern niemand in den Weg tritt, bleiben sie eher, als wenn man sie aufhalten will.

Der Vorrang

Andere Ordnungen haben mit dem Vorrang zu tun. Z.B. kommen die Eltern vor den Kindern, und ihre Paarbeziehung hat Vorrang vor dem Elternsein.

Was heißt das, die Eltern kommen vor den Kindern?

Die Eltern müssen von den Kindern fordern, daß sie an erster Stelle stehen. Dann fühlen sich die Kinder in Ordnung. Wenn die Eltern versuchen, sich den Kindern anzugleichen, z.B. durch Kameraderie, oder wenn sie sich nicht als überlegen und vorgeordnet zur Geltung bringen, dann hat es für die Kinder eine schlimme Wirkung. Die Kinder fühlen sich dann verunsichert und unfrei.

Zur Ordnung gehört auch, daß bestimmte Taten Folgen haben, die nicht mehr rückgängig gemacht werden können.

Viele haben die Vorstellung, daß eine schlimme Tat noch einmal rückgängig gemacht werden kann, z.B. durch Therapie. Wenn man mit Schwerkranken arbeitet, kann man sehen, es gibt Taten, die sind nicht mehr rückgängig zu machen. Dann gehört es zur Ordnung, daß man jemandem die Folgen ohne Abstriche zumutet. Wenn er denen dann zustimmt, gewinnt er dadurch eine besondere Würde, die er vorher nicht hatte.

Was sind schlimme Taten, die nicht rückgängig zu machen sind?

Z.B. eine Abtreibung, oder wenn jemand seinen Vater ins Gefängnis gebracht hat. Dann bleibt nur, daß man sich der Schuld und ihren Folgen stellt. Manchmal sehe ich an der Reaktion des Klienten, daß etwas nicht mehr rückgängig gemacht werden kann, z.B. daß er lieber stirbt, als seinem Vater oder seiner Mutter die Ehre zu geben. Dann sage ich ihm das, doch nicht in dem Sinn, daß überhaupt nichts mehr in Ordnung gebracht werden kann, sondern als therapeutische Maßnahme. Ich führe ihm den Ernst vor Augen, um ihn damit vielleicht doch noch zu erreichen.

Das klingt sehr hart.

Ja, aber alles andere hieße, die Augen zu verschließen nach dem Motto: Es darf nicht sein, was ist. Dann würden er und ich uns die Wirklichkeit zurechtbiegen, wie sie bequemer ist, anstatt ihr ins Auge zu schauen. Doch Veränderung gibt es nur, wenn man der Wirklichkeit ins Auge schaut.

»Auf die Liebe ist immer Verlaß«

Therapie und Familie

Wer sind Sie als Therapeut in einer laizistischen Gesellschaft, wo die Priester ihre Rolle als Seelsorger verlieren und ihre Autorität einbüßen?

Für mich ist wichtig, daß ich Menschen helfe, Konflikte zu lösen, und daß ich sie in Kontakt bringe mit heilenden Kräften aus ihrer Familie. Im Grunde ist das nicht nur Therapie, sondern ein Dienst der Versöhnung. In diesem Sinne bin ich auch Seelsorger. Und ich fühle mich als Lehrer. Therapeut ist für mich kein Begriff, der mich sehr bewegt.

Warum bewegt Sie dieser Begriff ›Therapeut‹ nicht? Sie kennen aus Ihrer Geschichte das Feld des Seelsorgers, und Sie kennen das Feld des Therapeuten, weil Therapeuten Sie ausgebildet und therapiert haben. Nun stehen Sie zwischen diesen beiden Gruppen?

Mit dem Begriff des Therapeuten verbindet sich bei mir die Vorstellung des Machens. Daß ich etwas behandle, das ich im Griff habe. Mein Verständnis von Schicksal und von den Kräften, die wirken, ist zu groß, als daß ich mich als einer verstehen könnte, der eingreift und etwas zustande bringt.

Verständlich erscheint mir dieser Affront gegen das Machen in bezug auf die traditionelle Psychotherapie. Aber inzwischen gibt es doch eine ganze Reihe anderer therapeutischer Schulen, die sich nicht als Macher, sondern höchstens als Geburtshelfer für die Heilung von Wunden begreifen, die einen Raum bieten, wo Menschen heil werden können.

Selbst das geht mir zu weit. Im Grunde verbünde ich mich mit Eltern oder mit anderen Personen, denen Unrecht getan wurde, und bringe sie ins Spiel. Das Heilende geht von denen aus, nicht von mir. Und ich stelle mich gegen solche, die eindringen, das System belasten, es durch ihre Anmaßung durcheinanderbringen und so das Heilende verhindern. Mehr ist es nicht, was ich mache.

Ich würde mich noch am ehesten als Familientherapeut bezeichnen, denn ich helfe einem System, daß es seinen Weg und seine Ordnung findet.

Woher nehmen Sie die Sicherheit, daß dieses System seine Ordnung findet?

Die Familiensysteme sind von solcher Kraft und von solcher Bindungsstärke und haben so etwas Bewegendes für alle, wie immer sie sich dazu verhalten, daß ich mich ganz auf sie verlasse. Die Familie gibt dem einzelnen das Leben. Da kommt er her mit allen Möglichkeiten und Grenzen. Durch die Familie kommt er in ein bestimmtes Volk, in eine bestimmte Landschaft, und er wird in bestimmte Schicksale hineingezogen und muß sie tragen.

Es gibt nichts Stärkeres als die Familie. Wenn ich da in einer Weise eingreife, die sich über diese Familie erhebt, störe ich die Ordnung. Deshalb gehe ich in die Familie als einer, der diese Familie würdigt. Ich kann die Eltern würdigen. Denn Elternschaft ist für mich etwas so Großes, daß ich mich als Therapeut nie gegen die Eltern stellen würde.

Für mich ist es unvorstellbar, jemanden gegen seine Eltern aufzuhetzen, wie es in manchen Therapien gemacht wird, in dem Sinne: »Ihr müßt euch von den Eltern befreien.« Das ist für mich absurd. Wie kann sich jemand von seinen Eltern befreien? Er ist ja seine Eltern.

Wenn Sie sagen, die Familie ist die tiefste Bindung, die die Menschen zusammenhält – das ist doch auch der Ausgangspunkt der klassischen Psychotherapie. Familie als stärkste Bindung und gleichzeitig die elementarste Quelle von Krankheit, Neurose und psychischem Elend. Der Weg der Psychotherapie ist Befreiung, Heilung der Wunden. Der Unterschied wäre dann: Auf welchem Weg heilt man diese Wunden? Tut man das in Abgrenzung, durch die Loslösung von den Eltern? Sind das für Sie alles Begriffe, die die elementare Bindung nicht anerkennen?

Es ist ganz klar, wir sind an die Familie und ihre Schicksale gebunden. Und ich stimme mit Ihnen überein, daß aus dieser Bindung auch sehr viel Leid entsteht. Meine Schlußfolgerung ist aber eine andere.

Manche therapeutische Schulen sagen, der einzelne muß sich von der Familie lösen oder sich gegen sie stellen oder sie bekämpfen, um gesund zu werden. Da gibt es auch Übungen, bei denen der Klient aufgefordert wird: »Bringe deine Eltern um« (so innerlich), oder »Hau drauf« oder »Schrei deine Wut raus«. Für mich ist das lächerlich, weil es keine andere Wirkung hat, außer, daß sich der Klient hinterher dafür bestraft.

Der Therapeut tritt dann als der bessere Vater oder die bessere Mutter auf, was schon in sich völlig absurd ist. Denn wenn es darauf ankommt, Entscheidungen zu treffen oder die Opfer für kranke Kinder auf sich zu nehmen, werden die wirklichen Eltern gebraucht und sind dann zur Stelle. In einer Therapie kann jemand gut reden, aber mit schwierigen Menschen zusammenleben und ihr Schicksal mittragen, ist etwas völlig anderes.

Die Familie macht krank, nicht weil Leute böse sind, sondern weil in der Familie Schicksale wirken, die alle mitbetreffen, berühren und beeinflussen. Das fängt mit den Eltern an. Sie haben selber wieder Eltern und kommen aus Familien mit eigenen Schicksalen, und das wirkt sich in der neuen Familie aus. Die Bindung bewirkt, daß die Schicksale gemeinsam getragen werden. Und wenn etwas Schlimmes in der Familie passiert ist, gibt es über Generationen hinweg ein Bedürfnis nach Ausgleich.

Wirkt hier so etwas wie ein Sippengewissen?

Ich nenne es mal Sippengewissen. Es gibt eine Kraft, eine Instanz, die wirkt wie etwas, was alles auf einen Ausgleich hin zentriert. Z.B. damit Ausgeklammerte wieder hereingeholt werden, oder daß jeder die Verantwortung für sein Tun selber trägt, oder damit die Folgen von Schuld nicht von den Eltern auf Kinder und Enkel abgewälzt werden.

Wenn ich das erfasse, kann ich mit Hilfe dieser Instanz eine Ordnung in das System bringen, die von diesen schlimmen Schicksalen erlöst oder ihre Wirkung mildert. Dann können alle aufatmen. Die guten Kräfte sind wieder am Zuge und bewirken Befreiung.

Wenn die Familie auf diese Weise in Ordnung gebracht ist, kann der einzelne aus der Familie hinausgehen. Dann spürt er die Kraft der Familie im Rücken. Erst wenn die Bindung an die Familie anerkannt ist und die Verantwortung klar gesehen und verteilt wird, fühlt sich der einzelne entlastet und kann seinem Eigenen, Besonderen nachgehen, ohne daß ihn das Frühere belastet und einholt.

Damit schränken Sie die Aussage: »Die Familie macht krank« natürlich erheblich ein.

Die Liebe in der Familie macht sowohl krank wie gesund. Es ist nicht die Familie, die krank macht, sondern es ist die Tiefe der Bindung und das Bedürfnis nach Ausgleich, was in der Familie zu Krankheiten führen kann. Wenn man das ans Licht bringt, kann man mit der gleichen Liebe und dem gleichen Bedürfnis nach Ausgleich auf einer höheren Ebene Krankheiten auch heilend beeinflussen. Einfach zu sagen: Familien machen krank, wäre eine billige Verteufelung der Familie.

Sie lassen nichts auf die Familie kommen.

Nein, sie anzuklagen, ist ungerecht. Die Leiden in der Familie entstehen nicht deshalb, weil es Familie gibt. Wie die Familie, so ist das Leben. In der Familie fangen wir an zu leben, und es ist die Frage: Wie kann der einzelne auf dieser Grundlage sein Leben so gestalten, daß Entwicklung möglich wird?

Lassen Sie uns noch einmal auf die therapeutischen Schulen zurückkommen. Ich habe manchmal den Eindruck, Sie sind Ihren Berufskollegen gegenüber kritisch. Nun ist ja der therapeutische Markt inzwischen ein weites Feld. Die klassische Freudsche Schule mit dem Klienten auf der Couch und dem Analytiker außer Sichtweite ist ein kleiner Teilbereich. Es gibt alle möglichen Versuche, heilende Kräfte durch therapeutische Intervention anzuregen. Musik-, Farb-, Körper-, Gesprächs-, Tanz-, Hypno-Atemtherapie usw. Es wäre sicher ungerecht, diese Therapien herabzusetzen.

Das liegt mir fern, schon deshalb, weil ich selber sehr viel von der Psychotherapie profitiert habe. Die Psychotherapie wächst ja auch mit der Erfahrung.
Freuds Einsichten sind bis heute grundlegend. Aber sie sind inzwischen in sehr vieler Hinsicht weiterentwickelt. Man kann sich nicht auf seine Methoden beschränken – deshalb muß man sie nicht abwerten. Sie bleiben die Grundlage und der Anfang der Psychotherapie.
Viele Therapien konzentrieren sich auf Teilbereiche und vermitteln neue Erfahrung, erweitern Bewußtsein. Die Körpertherapien, z.B. die Bioenergetik, gehen davon aus, daß sich viele Störungen in Muskelspannungen niederschlagen und daß man diese lösen kann. Dadurch kommt man mit tiefen Gefühlen in Verbindung – auch mit der Liebe zu

seiner Familie. Das erleichtert, entspannt, setzt neue Kräfte frei.

Doch die grundlegenden Probleme hängen mit der Familie zusammen. Genauer gesagt damit, daß der einzelne, was immer er nach außen verkünden mag, seiner Familie im Tiefsten treu ist. Diese tiefe Liebe muß ich anerkennen. Aber wenn einer heutzutage sagt, daß er seine Familie liebt, ist er einigen schon verdächtig und kommt in Schwierigkeiten.

Sie meinen, der Trend in Therapien sei eher, sich von der Familie, den Eltern abgrenzen zu lernen. Also Freiheit durch Abgrenzung von den Eltern?

So kommt es mir vor. Aber die ganz tiefe Liebe duldet nicht, daß jemand sich auf Dauer gegen seine Familie stellt. Daher wird, wer seinen Vater bekämpft, unweigerlich wie er. Und wer seine Mutter bekämpft, wird unweigerlich wie sie. Es gibt da einen schönen Satz von Mohammed: »Wenn jemand seinen Bruder einer Sünde bezichtigt, kann er nicht sterben, bevor er diese Sünde selber begeht.« So ähnlich geht es auch uns, wenn wir unsere Eltern auf diese Weise ablehnen.

Viele Störungen und Krankheiten entstehen aus diesem Kampf, daß einer nicht anerkennen will, daß er gebunden ist. Ich versuche dann als Therapeut, die ursprüngliche Liebe wieder zur Geltung bringen.

Die unterbrochene Hinbewegung

Nun ist es so, daß die Liebe zu den Eltern häufig gestört ist, beispielsweise wenn ganz früh eine Hinbewegung des Kindes zu den Eltern durch einen längeren Krankenhausaufenthalt unterbrochen wurde. Das ist mit großem Schmerz für das Kind verbunden. Dieser Schmerz wird durch Opposition gegen die Eltern überspielt. Doch im Grunde ist diese Opposition nur eine Erinnerung an die frühe Trennung. Wenn ich das nur vordergründig nehme, also als Opposition, dann kann ich dem nicht helfen.

Das ist anders, wenn ich weiß, auf die Liebe ist immer Verlaß. Sie ist immer da, ich brauche nur zu suchen, wo sie ist. Wenn einer auf seine Eltern böse ist, suche ich: Wo war die frühe Unterbrechung? Wenn ich die Stelle finde, helfe ich dem Kind im Klienten, zur Mutter oder zum Vater von damals hinzufinden. Dann hört der Kampf auf, und alle atmen auf, auch die Eltern. Sie können sich dem Kind und das Kind kann sich ihnen wieder zuwenden.

Das ist ja dasselbe Thema wie in der Körpertherapie. Ich habe einmal einen Therapeuten erlebt – er war auch ein guter Schauspieler –, der hat uns diese »unterbrochene Hinbewegung« vorgespielt: Das Kind ist vier Jahre und kommt fröhlich aus dem Garten mit dickem Matsch an den Schuhen, hält eine Blume in der Hand und geht strahlend auf die Mami zu. Die ist gerade am Putzen und fürchtet um ihren weißen Fußboden und schreit: »Halt, bleib draußen.« Das Kind erschrickt, zuckt zusammen, zieht die Schultern hoch. Diese Körperhaltung hat er sehr eindrücklich demonstriert. Wir haben alle gelacht, weil es so einfach war und so deutlich wurde, daß keiner keinem etwas Böses wollte, sondern einfach in sein Tun vertieft war. Damit hat er uns erklärt, wie unsere Körperhaltung zustande kommt, daß wir das nicht merken, weil sich die Muskeln an die Fehlhaltung »gewöhnen«, d.h. keinen Schmerz mehr verursachen, aber auch keine Energie mehr fließen lassen. Daß es uns im Gegenteil Energie kostet, diesen Schreckzustand, den wir als solchen gar nicht mehr spüren, aufrechtzuerhalten. Natürlich passiert das nur, wenn solche Schreckmomente öfter geschehen und sich als Verhaltensmuster ausbilden. Dann gehen wir verspannt, verdruckst, mit hochgezogenen Schultern, eingezogenem Kopf, gebeugt oder krumm durchs Leben. Wenn die

Muskelspannung gelöst wird, kommt der Schreck noch einmal zum
Vorschein, und dann fließt die Energie wieder.

Das ist eine wunderbare Beschreibung von unterbrochener
Hinbewegung. Wo die Hinbewegung unterbrochen wird,
geht der Körper zurück, und der Kopf geht nach oben. Die
Gegenbewegung wäre: Der Kopf geht nach unten, und die
Hände werden ausgestreckt.

Man kann das rein körperlich angehen, die Verspannung
lösen und so diese Hinbewegung vollenden. Oder ich lasse
den Klienten innerlich zurückgehen an diese Stelle und sich
vorstellen, er geht als Kind zur Mutter hin und gibt ihr diese
Blume. Auch so kommt die Bewegung ans Ziel, und die
Spannung löst sich auch. Man kann also sehen, daß verschiedene therapeutische Ansätze auf das gleiche Ergebnis hinzie-
len und zum gleichen Ergebnis führen.

Ein Kind, das diese verspannte Haltung hat, traut sich nicht nur,
nicht mehr zur Mutter hinzugehen, es wird später auch zu anderen Menschen die gleiche Haltung einnehmen und nicht zu
ihnen hingehen. Nun würde es aber wenig helfen, wenn es nur
übt, auf andere Menschen zuzugehen. Es muß an der Stelle,
an der es diese frühe Unterbrechung gab, die unterbrochene
Bewegung wieder aufnehmen und ans Ziel bringen.

Vielleicht würde der Körpertherapeut sagen: Indem diese Spannung
und der Schmerz erinnert werden und sich lösen, ändert sich auch das
Verhältnis zu den Eltern und zu anderen Menschen.

Ich möchte hier auf eine Gefahr hinweisen. Das Kind ist in
dem Augenblick erschrocken oder vielleicht auch entsetzt
oder böse. Wenn ich jetzt auf diese vordergründigen Gefühle
von damals abhebe und sie nicht mit der unterbrochenen
Bewegung zusammenbringe, wird nur das Vordergründige,
z.B. die Wut, die Verzweiflung oder der Schmerz zum
Ausdruck gebracht. Aber das Kind wollte ja der Mutter etwas

zeigen. Ich kann auch gleich mit der Liebe des Kindes gehen. Dann komme ich schneller ans Ziel, als wenn ich auf die Wut und die Verzweiflung setze.

Das ist eine wichtige Unterscheidung. Ich arbeite nicht mit den Gefühlen, die der Klient schildert, sondern ich sehe den Gesamtvorgang und gehe an das allererste Gefühl, auf das es ankam. Das ist immer Liebe. Da gibt es nach meiner Erfahrung keine Ausnahme.

Das heißt, andere Therapien machen Umwege?

Der Therapeut, den Sie eben beschrieben haben, wird die unterbrochene Hinbewegung sicher ans Ziel bringen. Ich habe nur vor der Gefahr gewarnt, daß man vielleicht mehr auf die vordergründigen Gefühle schaut, die als Folge der unterbrochenen Hinbewegung entstehen. Diese Gefühle bringen keine Lösung. Sie zementieren, verstärken noch einmal die Erfahrung von damals, anstatt die Hinbewegung wieder aufzunehmen. Oder sie dienen der Rechtfertigung, z.B. für die Trennung von den Eltern, anstatt noch einmal mit Liebe zu ihnen hinzugehen.

Moralische Forderungen

Das bezieht sich auf den therapeutischen Prozeß. Hat nicht jede gute Therapie zum Ziel, daß der Mensch erwachsen wird? Das heißt doch, für sich selbst verantwortlich zu sein, niemand anderem die Schuld für das eigene Schicksal zuzuschieben und seinen eigenen inneren Impulsen nachgehen zu können.

Das sind moralische Forderungen. Die verhärten die Seele. Das klingt nach Anstrengung, und zwar losgelöst von den Kräften, die mir helfen können.

Es gibt Therapien, die stellen Forderungen auf, wie der Mensch sein soll. »Er muß individuiert sein«, sagen einige, was immer das heißen mag, oder: »Er muß erwachsen sein«, oder: »Er muß Ich-Stärke gewinnen.« Wenn man sich überlegt, was das heißt und ob man dieser Forderung genügt, fühlt man sich klein und bekommt Zweifel. Aber so etwas entwickelt sich doch ganz normal in der Familie.

Erst ist das Kind eng eingebunden, dann wird sein Spielraum immer größer. Später, wenn es alles genommen hat, was es von der Familie bekommen kann, und wenn es das würdigt, geht es ganz gelassen, ohne Anstrengung. Es braucht sich nicht vornehmen, erwachsen zu werden. Es ist erwachsen.

Was ich mir vornehmen muß, will ich nicht wirklich. Sonst muß ich es mir nicht vornehmen. Der Vorsatz würde also darauf hinweisen, daß mir etwas fehlt, das noch genommen oder in Ordnung gebracht werden muß. Wo diese Forderungen erhoben werden, weiß ich, es ist noch etwas nachzuholen. Dann helfe ich dem Klienten, es nachzuholen oder zu lösen.

»Triumph ist Verzicht auf Erfolg«

Die Unterscheidung der Gefühle

Sie sprechen in Ihrer Arbeit immer wieder von der Liebe, die ans Licht kommt. Wie ist es mit Gefühlen wie Wut, Haß, Neid? In Ihrer therapeutischen Arbeit spielt Wut, so weit ich es sehe, keine Rolle. Warum hat die Wut keinen Platz?

Ich unterscheide die ursprünglichen Gefühle von den abgeleiteten, die als Ersatz für die ursprünglichen dienen. Ein ursprüngliches Gefühl dient dem Handeln, ein abgeleitetes dient als Ersatz für das Handeln. Daher bringt es wenig, mit einem abgeleiteten Gefühl zu arbeiten, denn damit verstärkt man nur das Beharren im Nichthandeln.

Neid

Ich zeige den Unterschied beim Neid. Neid heißt: Haben wollen, ohne dafür den Preis zu bezahlen. Statt mit dem Neid zu arbeiten, führe ich einen Klienten eher zu der Entscheidung, daß er für den Gewinn und den Erfolg auch den vollen Preis zu zahlen bereit ist.

Wut

Ähnlich verhält es sich mit der Wut. Die ursprüngliche Wut entsteht dort, wo ich angegriffen werde. Diese Wut gibt mir die Kraft zur Gegenwehr und ist daher gut. Sie macht mich fähig zum Handeln.

Die meiste Wut hingegen entsteht nur durch eine Vorstellung. Dann wird man wütend, ohne zu handeln. Zum Beispiel habe ich bei mir beobachtet: Wenn ich über Leute in meiner Vorstellung ärgerlich werde und sage: »Was sind das für welche, was führen die gegen mich im Schilde«, weiß ich sofort, dieses Gefühl und die Annahmen dahinter sind falsch. Denn jedesmal, wenn ich dann nachgeforscht habe, war es anders, als ich angenommen hatte. Die Wut war ausgelöst rein durch ein inneres Bild. Diese Art von Wut ist ohne Information. Sie beruht auf Projektion und auf Verdacht, sie ist nicht begründet.

Wut ist doch eher ein unterdrücktes Gefühl. Daß Menschen richtig wütend werden können, ist selten. Oft kommt die Wut gar nicht heraus und nistet sich in ganz falschen Ecken ein.

Wut hat auch etwas damit zu tun, daß ich einen Anspruch nicht geltend mache. Wenn ich einen Anspruch, der mir zusteht, nicht geltend mache, werde ich wütend. Auch diese Wut dient als Ersatz für eigenes Handeln.

Sie haben gesagt, Sie halten nichts davon, die Wut im therapeutischen Prozeß auszuleben. Es gibt doch durchaus Situationen im therapeutischen Prozeß, wo Menschen lernen, sich in dieser Kraft zu spüren. Wut hat ja auch eine enorme Kraft.

Oft ist es nur eine Scheinkraft. Die entscheidenden Gefühle im Hintergrund sind Schmerz und Liebe. Statt mich dem Schmerz zu stellen, werde ich vielleicht wütend.
Da erinnert sich zum Beispiel jemand in der Therapie, daß er als Kind verprügelt wurde und wird dann auf den Täter wütend. Wenn er wütend wird, fühlt er nicht den Schmerz. Wenn er aber sagt: »Das tut sehr weh«, kommt er auf eine andere Ebene: gesammelter, viel kraftvoller. Das geht sehr viel tiefer, als wenn er wütend sagt: »Jetzt geb ich dir's zurück.«

Es gibt Menschen, die das Glas aus dem Schrank holen und damit werfen, um den unmittelbaren Impuls: »Wie kannst du mir so etwas antun!« auszudrücken. Ich verstehe nicht, was dagegen einzuwenden ist. Das nimmt wohl nicht den Schmerz, aber es drückt ein Gefühl direkt aus.

So eine Wut kann ich als Ausdruck des Schmerzes sehen. Aber damit geht jemand an eine sehr gefährliche Grenze. Wenn die ein bißchen überschritten wird, ist alles verloren. Er hat zwar die Wut ausgedrückt, aber es folgt nichts daraus. Eine Unterscheidung, die ich hier mache, ist die zwischen Triumph und Erfolg. Das Gefühl, das zum Triumph oder zum Sieg führt, hat den Erfolg verspielt.

Also dieses: Ich bin die Edlere.

Triumph

Ich die Edlere, du der Schweinehund. Ich bin die treue Ehefrau, du bist der Untreue. Durch den Triumph verspielt sie den Partner. Der Erfolg dagegen wird erkauft mit dem Verzicht auf Triumph.
Im asiatischen Raum darf es nicht dazu kommen, daß jemand sein Gesicht verliert. Damit sichern sich die Menschen für die Zukunft den Erfolg. Wenn ich mich so verhalte, daß einer sein Gesicht wahren kann, auch wenn er etwas Schlimmes getan hat, habe ich ihn gewonnen. Er wird seine Tat wiedergutmachen, so gut er kann. Wenn ich ihn dagegen vor anderen erniedrige oder blamiere, habe ich ihn verloren. Noch mehr: Ich habe ihn zum Feind. Ich habe überhaupt nichts gewonnen. Auch jene, die so etwas mit ansehen, haben ein instinktives Bedürfnis nach Ausgleich.

Triumph ist Verzicht auf Erfolg. Wer triumphiert, hat keine Gefolgschaft mehr. Die wendet sich eher dem zu, der verloren hat. Das ist ein unwiderstehliches Bedürfnis.

Haß

Sehr viele Gefühle sind nur die Kehrseite der Liebe und des Schmerzes. Haß etwa ist nur die andere Seite der Liebe. Er entsteht, wenn jemand in seiner Liebe verletzt ist. Wenn er den Haß zum Ausdruck bringt, verbaut er sich den Zugang zur Liebe. Aber wenn er sagt: »Ich habe dich sehr geliebt und das tut mir sehr weh«, dann ist kein Platz mehr für Haß. Nach einem solchen Satz ist Versöhnung möglich. Nach Haß ist sie nicht mehr möglich. Mit dem Haß verliert jemand gerade das, was er eigentlich haben möchte.

Angst

Es gibt ja Leute, die sagen, der Gegensatz zur Liebe ist die Angst.

Der Gegensatz ist die Gleichgültigkeit. Wenn ein Paar zu mir kommt und sagt, sie können nicht mehr zusammenleben, schaue ich nur, wieviel Engagement ist noch da. Wenn es ihnen sehr weh tut, gibt es noch viel Engagement, und die Chancen für eine Versöhnung stehen gut. Wenn es nicht mehr weh tut, ist die Beziehung vorbei. Dann herrscht Gleichgültigkeit.

Aber zurück zur Angst. Sie ist konkret, wenn ich etwas fürchte. Etwa, daß die Mutter weggeht und nicht mehr zurückkommt. Eltern tun in der Regel alles, damit Kinder diese Angst nicht haben müssen. Dann fühlt sich das Kind sicher.

Aber die Vorstellung von einer angstfreien Erziehung ist eine Utopie. Das gibt es nicht. Wenn jemand sagt: »Kinder müssen angstfrei erzogen werden, die Kirche muß angstfreier sein«, erzähle ich gern die kleine Geschichte von der Großmutter, die für ihre Enkel die Märchen entschärfen wollte, weil die so grausam sind. Als sie ihren Enkeln diese gereinigten Märchen erzählte, bekamen die Kinder Angst vor der Großmutter.

Die Angst ist ein Gefühl, das sich an etwas heftet. Wenn ich alles entferne, woran die Angst sich heften kann, wird sie um so größer.

Es ist gut, den angstmachenden Situationen ins Auge zu schauen. Wenn z.B. in der Familie der Großvater stirbt, würde ich das Kind an die Hand nehmen und sagen: »Großvater ist jetzt tot.« Ich würde mit ihm die Hand des Großvaters berühren und sagen: »Schau, seine Hand ist jetzt kalt. Wir werden ihn begraben, aber du darfst dich immer an ihn erinnern.« Dann kann das Kind den Toten ohne Angst anschauen.

In der Therapie führe ich die Menschen − in Trance etwa − oft noch einmal an ein Totenbett und lasse sie einen geliebten Toten anschauen, wie er tot daliegt. Ich würde Kindern auch gestatten, sich neben den Toten zu legen. Wenn sie aufstehen, sind sie angstfrei. Dieser Angst haben sie ins Auge geschaut.

Der Todesangst?

Der Angst vor den Toten. Bei anderen Situationen, die einem Kind Angst machen, führt man das Kind in diese Situation und beschützt es gleichzeitig dabei. Dadurch lernt es, mit diesen Situationen umzugehen.

In Beziehungen gibt es eine Angst vor der Nähe, eine Angst, sich einzulassen. Daher kommen viele sexuelle Probleme. Deshalb komme ich darauf, die Liebe mit der Angst zu verknüpfen.

Ja, das gibt es. Die Angst vor Hingabe an die Frau ist eigentlich die größte Angst des Mannes. Wie im Märchen von einem, der auszog, das Fürchten zu lernen. Das Fürchten hat er im Bett gelernt, bei der Frau. Oder Siegfried bei Wagner hat das Fürchten gelernt, als er Brünhild den Panzer öffnete und sie als Frau erkannte. Diese Furcht hat mit der Tiefe des Lebens und des Todes zu tun.

Diese Angst vor Hingabe schreibt man landläufig vor allem den Männern zu. Ich fürchte, sie ist bei Frauen fast ebensoweit verbreitet.

Die Frau fühlt das auf ihre Weise sicherlich auch, z.B. Brünhild gegenüber Siegfried.

Mein Bild ist: Mann und Frau wissen beide, daß es durch den Vollzug der Liebe zu einer unauflöslichen Bindung kommt. Wenn man das erfaßt, macht es Angst. Das scheint zwar alles andere als zeitgemäß, aber es scheint doch ein Wissen darum zu geben.

Wenn Sie Bindung sagen, ist das unbedingt identisch mit Beziehung? Denn diese Angst gibt es ja gerade auch in Beziehungen?

Beziehung ist weniger als Bindung. Oft drücken wir uns vor der Bindung durch eine Beziehung. Z.B. wenn ein Paar eine Beziehung eingeht und es von vornherein etwas Flüchtiges ist, ohne Risiko, oder wenn ein Partner sich schon vorher sterilisieren ließ, dann entsteht keine Bindung, obwohl es eine Beziehung ist. Andererseits kann eine Bindung auch ohne Beziehung entstehen, z.B. bei einer Vergewaltigung.

Das heißt, Bindung hat zu tun mit Kinder bekommen?

Nein, es geht um den Vollzug der Liebe. Wenn in diesem Vollzug etwas Wesentliches ausgeklammert ist, kommt es nicht zu einer Bindung. Doch man muß hier sehr vorsichtig sein, damit nicht der Eindruck entsteht, es würden Vorschriften gemacht, wie es sein soll. Ob eine Bindung entstanden ist, beobachte ich an der Wirkung.

Sie beschreiben Bindung vom Ergebnis her, was über die Generationen und über die Familienaufstellungen sichtbar wird?

Genau. Das räumt die Mißverständnisse aus. Es ist rein vom Ergebnis her beschrieben.

Depression

Sie haben vorhin gesagt, ein Mensch bestrafe sich selber, wenn er in der Therapie nach der Methode »Hau drauf« oder: »Schrei die Wut auf deine Eltern heraus« arbeitet. Was meinen Sie mit dieser Selbstbestrafung? Wie zeigt sie sich?

So jemand wird zum Beispiel depressiv.

Wenn er es nicht schon war. Es gibt doch viele, die ihren Ärger nicht herausbringen können.

Sie werden nicht krank, weil sie den Ärger unterdrücken, sondern weil sie das Handeln unterdrücken, das zur Lösung führen würde. Nur den Ärger herauszubringen hat noch keinen befreit. Er muß immer noch entsprechend handeln.
Sie haben gesagt, wenn er nicht schon vorher depressiv war. Also depressiv ist in der Regel nur jemand, der einen seiner Eltern nicht genommen hat. Wenn er seine Wut auf die Eltern auf die oben beschriebene Weise herausbringt, drängt er die Eltern noch einmal weg. Dadurch kann sich die Depression noch vertiefen.
Aber viele bestrafen sich einfach durch Mißerfolg, z.B. im Beruf oder in der Partnerschaft, indem sie ihre Stelle verlieren oder keine finden, oder ihren Partner verlieren oder viel Geld.

Das heißt aber nicht, daß jeder, der mal so eine Art von Therapie oder Workshop gemacht hat, Mißerfolg hat?

Es kommt auf das Ausmaß an und auf den Ernst bei der Sache. Das Grundlegende für eine geglückte Entwicklung ist das Ehren der Eltern und das Achten dessen, was es heißt, Eltern zu sein und das Leben weiterzugeben. Dabei spielt es keine Rolle, wie die Eltern sind. Wer sich herausnimmt, seine Eltern zu verachten, der wird das, was er verachtet, selbst in seinem Leben darstellen. Gerade durch die Verachtung wird er seinen Eltern gleich.

Wer seine Eltern achtet und sie als Ganzes nimmt, der nimmt alles, was die Eltern Gutes haben. Es fließt in ihn ein. Das Merkwürdige dabei ist: Wenn jemand seine Eltern als Ganzes nimmt, bleibt das, was ihnen an schwerem Schicksal und Schwächen anhaftet, draußen vor.

Es gibt einen Buchtitel von Nancy Friday: »Wie meine Mutter«. Darin schildert sie sehr plastisch, was viele als Alltagserfahrung kennen. Plötzlich sehen sie sich im Spiegel wie ihre Mutter. Oder in Alltagsdingen fällt ihnen auf, daß sie genau das tun, was sie immer anders machen wollten, wie eine Art Wiederholungszwang.

Ja, je mehr jemand seine Eltern ablehnt, desto eher ahmt er sie nach. Wenn er einen von ihnen ablehnt – z.B., weil der Vater Alkoholiker ist oder die Mutter ein uneheliches Kind hat –, dann geht der Blick auf das Abgelehnte. Dann kann das, was die Eltern an Gutem gegeben haben, nicht mehr gesehen und genommen werden. In diese Ablehnung schließt dann jemand auch andere Bereiche des Leben mit ein. Kein Wunder, daß er sich leer fühlt und ein depressives Grundgefühl hat.

Er kann nicht nehmen, was er bekommen hat?

Genau. Eine besondere Form der Ablehnung der Eltern ist der Anspruch. Wenn jemand Ansprüche erhebt, wie die Eltern sein sollen oder was sie noch alles für ihn tun sollen, hindert er sich, das Wesentliche zu nehmen.

Annehmen und Nehmen

Können Sie das »Nehmen« genauer beschreiben?

Das »Nehmen« ist für mich ein Grundvorgang. Ich grenze es scharf gegen das Annehmen ab. Annehmen ist gnädig. Nehmen heißt: Ich nehme es, genau so, wie es ist. Dieses Nehmen ist demütig. Es stimmt den Eltern zu, wie sie sind. Im Nehmen stimme ich auch mir zu, wie ich bin. Das hat etwas tief Versöhnendes, ein In-die-Ruhe-Kommen. Es ist jenseits aller Bewertung. Weder gut noch böse.
Wenn jemand sich seiner Eltern brüstet, hat er sie auch nicht genommen. Bei der Idealisierung wird das Wesentliche ausgeklammert.

Dieses Nehmen liegt also jenseits jeder Bewunderung, Idealisierung oder Dämonisierung.

Genau. Es ist ganz elementar. Da spielen diese Wertungen keine Rolle. Wer so nehmen kann, der ist mit sich und seinen Eltern im reinen und auf sich selbst gestellt.

Schmerz

Jede Therapie dreht sich um das Verhältnis zu den Eltern, um den Schmerz über das, was nicht möglich war.

»Der Schmerz über das, was nicht möglich war.« Schon dieser Satz hat eine schlimme Wirkung.

Deshalb frage ich noch einmal nach: Die Eltern nehmen, wie sie sind, ist das nicht auch ein Prozeß, der für manche Menschen Zeit braucht und nicht ganz natürlich geht? Einen Alkoholiker zum Vater zu haben, ist ein schweres Schicksal für ein Kind.

Wenn einer Schmerz darüber fühlt, einen Alkoholiker als Vater zu haben, kann er ihn nicht nehmen.

Aber das Nehmen ist doch nichts, was über den Kopf läuft. Das heißt, es nutzt jemandem nichts, wenn man ihm sagt: »Auch wenn dein Vater Alkoholiker ist, du mußt ihn so nehmen.«

Nein, das geht nicht. Eine Lösung gibt es erst, wenn das Kind den Vater ganz tief liebt und sagt: »Ich nehme dich, so wie du bist, als meinen Vater.« Wenn es Schmerz darüber empfindet, wie der Vater ist, ist das verbaut. Ein Klient muß hinter diesen Schmerz gehen und ihn überwinden, damit er seinen Vater nehmen kann. Zu sagen: »Er muß den Schmerz fühlen«, würde diese Bewegung stören.

Es ist etwas anderes, wenn es Situationen gegeben hat, in denen das Kind nicht zum Vater hin konnte. Wenn der Vater gestorben ist, z.B. Dann ist es ein Schmerz um den Verlust des Vaters. Der hat eine andere Qualität. Es ist ein Schmerz mit Liebe. Aber Schmerz, der eine Ablehnung oder Abwertung der Eltern impliziert, hat eine schlimme und schwächende Wirkung.

Aber einen Alkoholiker als Vater zu haben, impliziert doch für das Kind auch ein Stück Verlust. Die unerfüllte Möglichkeit mit einem Vater, der »blau« nach Hause kommt und seine Kinder oder seine Frau verprügelt, in Frieden zusammen zu sein.

Es gibt Formen des Schmerzes und der Trauer, die implizieren, daß der andere einem etwas angetan hat. Das wirkt sich schlimm aus.

Jeder, der Therapie macht, kommt an Punkte, wo er verletzt worden ist. Man kommt unweigerlich auf Kindheitserlebnisse mit Vater und Mutter. Es gibt viele Kinder, die unter ihren Eltern auch gelitten haben und Blessuren aus der Kindheit davongetragen haben. Wie geht man damit um? Es muß doch Zugänge geben, um mit dem Schmerz, den man in sich trägt, auch zurechtzukommen. Es läuft eben nicht über den Kopf, einfach zu sagen: »Ich nehme sie, wie sie sind.« Was macht man da?

Ich bin selber durch solche Überlegungen und Lösungsversuche gegangen. Aber sie sind mir inzwischen wie fremdes Land. Ich kann sie nicht mehr nachvollziehen. In ihnen ist eine Vorstellung wirksam von: Ich kann es in Ordnung bringen, indem ich die Wut oder den Schmerz herauslasse. Als wäre es in die Hand gegeben, es auf diese Weise in Ordnung zu bringen.

Ich meine nicht in Ordnung bringen, sondern ich denke eher an Heilung.

Ganz tiefen Schmerz gemeinsam mit dem Vater oder der Mutter empfinden, das heilt. Das kommt für mich in dem Wort zum Ausdruck: »Schade«, einfach schade. Da ist keine Anklage drin. Es ist ganz einfach nur der gemeinsame Schmerz.

Wir haben schon über die unterbrochene Hinbewegung gesprochen. Da sagten Sie: Der Klient wird an die Stelle geführt, wo die Hinbewegung unterbrochen wurde.

Dadurch kommt die Bewegung ans Ziel, und es wird etwas gutgemacht. Dennoch bleibt auf einer anderen Ebene dieses »Schade«, daß das so lange nicht möglich war. Dieses »Schade« ist wertvoll. Da wird nichts wegoperiert. Vielmehr ist dieses »Schade« eher wie eine lebendige Kraft, die jetzt im guten Sinne wirken kann.

117

Also eher ein Wandlungsprozeß.

Genau. Worüber wir reden, sind Erfahrungen. Bei all diesen Erfahrungen gilt, daß sie durch Neues erweitert oder korrigiert werden. Jede allgemeine Aussage verführt dazu, auf dieses mühsame, genaue Hinschauen zu verzichten. Damit entgeht einem ein großes Stück von Wirklichkeit. Daher dienen diese Aussagen eigentlich nur dazu, zum Schauen zu führen, so daß der einzelne eine Richtung hat, aber selber auf differenzierte Weise sehen lernt.

»Besserwisser weigern sich zu wissen«

Über Wissen und Wahrnehmen

Wie kommen Sie zu Ihren Erkenntnissen? Sie haben gesagt, es bräuchte eine neue Aufklärung?

Ich bringe Zusammenhänge, die sichtbar sind, in den Blick. Das ist das Gegenteil von Ideologie. Ich stelle auch keine Forderungen auf. Ich sage nicht, man muß wieder zurück zur Gemeinschaft. Das liegt mir fern.
Ich sehe z.B. in der Arbeit mit Familien, daß es bestimmte Ordnungen gibt. Wenn man die einhält oder nicht einhält, gibt es bestimmte Wirkungen. Und zwar unausweichlich. Das bringe ich ans Licht. Das ist eine aufklärende Arbeit. Ich kläre auf, was in der Tiefe einer Familie passiert.

Das sehen andere nicht.

Wer hinschaut, kann es sehen. Wenn einer es nicht sehen will, nehme ich mir nicht heraus, ihn überzeugen zu wollen. Aber ich wehre mich, wenn einer sagt, das gebe es nicht, ohne daß er selber hinschaut.
Ein Beispiel: Wenn jemand zum zweiten Mal verheiratet ist, kann man sehen, daß der frühere Partner von einem seiner Kinder vertreten wird. Dieses Kind übernimmt die Gefühle des früheren Partners. Wenn der frühere Partner eine Frau war, tritt eine Tochter in Rivalität zur Mutter, ohne daß sie weiß, warum. Zum Vater kommt diese Tochter in eine Beziehung, die eher einer Partnerin entspricht. Das ist immer dann der Fall, wenn der frühere Partner nicht gewürdigt ist.

Nun kann jemand sagen, ich würde das behaupten. Doch anstatt das zu bestreiten, könnte er ja mal hinschauen, ob es wirklich so ist. Wenn er dann vielleicht etwas anderes sieht, können wir uns austauschen Denn dann haben wir beide hingeschaut.

Aber wo soll er denn hinschauen?

Er muß Familien anschauen, in denen es frühere Partner gab. Wenn er auf sich wirken läßt, was in solchen Familien abläuft, kann er das sehen. Besonders klar kann man es bei Familienaufstellungen sehen.

Menschen, die von einer aufklärerischen Position her kommen, sagen vielleicht: »Das ist doch Quatsch. Was soll das eigentlich sein, Familienaufstellungen?«

Ich hatte vor kurzem einen Kurs, zu dem auch ein Professor eingeladen war, um sich das Familien-Stellen anzuschauen. Er sagte einem Freund von mir, er brauche sich das nicht anzuschauen, denn er wisse, daß es falsch sein muß.
Das erinnerte mich an die Vertreter der Kirche, die zu Galilei sagten, durchs Fernrohr müßten sie nicht schauen, denn sie wüßten eh, daß es keine Jupitermonde geben kann. – Besserwisser weigern sich zu wissen.

Nun ist es ja eines, zu sagen: Ich sehe diese Ordnungen und die Verstrickungen, die wirken, und trotzdem bohrt sich bei mir immer mal wieder das Gefühl ein: Der ist oft so apodiktisch. Wenn Sie sagen, Sie bringen etwas in Ordnung, was bedeutet das?

Erstens muß man sehen: Ich mache diese Aussagen immer in einem konkreten Kontext. Wenn jemand seine Familie aufgestellt hat, dann hat er plötzlich etwas ans Licht gebracht, was vorher für ihn verborgen war. In dem Augenblick mache ich natürlich Aussagen zu diesem System. Manchmal auch ganz harte.

Vor kurzem war eine Frau in einem Kurs. Sie kam aus der dritten Beziehung ihrer Mutter. Die erste Tochter wurde an die Großmutter weggegeben. Das sah in der Aufstellung seltsam aus. Das zweite Kind ist gleich nach der Geburt gestorben. Plötzlich habe ich gesehen, dieses zweite Kind ist ermordet worden. Ich habe sie gefragt: »Ist dieses Kind ermordet?« Sie sagte: »Das weiß ich nicht, aber es sei immer die Rede davon gewesen, daß die Mutter das erste Kind umbringen wollte.«

Da stand plötzlich ganz stark das Thema Mord in diesem System im Raum. Wenn so etwas hochkommt, ist das erschreckend für alle, sehr erschreckend.

Ich behauptete nicht, daß es so war. Aber es kam dann ferner ans Licht, daß die Klientin Angst hatte, ihrem kleinen Sohn gegenüber gewalttätig zu sein. Und daß auch der Sohn ihr gegenüber gewalttätig war. Das war eine Beziehung mit höchster Gefahr. Wir haben dann die Stellvertreterin der Mutter zur Tür hinausgeschickt und haben die Väter ins Spiel gebracht. Auf einmal gab es Frieden. Die Klientin ging zum Stellvertreter ihres Vaters, der früh gestorben war, und konnte sich mit ihm versöhnen.

Dann hat sie ihren kleinen Sohn, der auch dabei war, ihrem Vater vorgestellt und ihn später neben seinen Vater, von dem sie getrennt lebt, gestellt. Dort fühlte er sich sicher.

Das sind Extremsituationen, in denen unser bisheriges Wissen versagt, in denen man sich nur auf seine Wahrnehmung verlassen kann. Wenn jemand an seiner Wahrnehmung zweifelt oder Angst hat vor den Konsequenzen dessen, was er wahrnimmt, dann sagt er vielleicht: »Probieren wir lieber etwas anderes.« Aber das geht nicht.

Autorität

Ich trete dann mit Autorität auf, aber nicht autoritär. Denn ich folge nicht nur meiner Einsicht, ich prüfe auch konsequent nach: Ist es so? Wenn die Klienten nachher erleichtert sind, dann war mein Auftreten gerechtfertigt.

Autorität heißt für mich, zu etwas fähig sein, was andere brauchen. Ich habe so lange Autorität, als ich in einer Situation das tun kann, was jemand braucht. Autorität richtet sich nach dem Gefälle von Bedürfnis und der Fähigkeit, dieses Bedürfnis zu erfüllen. Das heißt, je größer das Bedürfnis des anderen und je größer meine Fähigkeit, dieses zu erfüllen, desto größer ist meine Autorität.

Wenn aber jemand Autorität beansprucht, ohne daß er ein Bedürfnis erfüllt, dann ist er autoritär. Er maßt sich eine Autorität an, die er nicht hat, weil er nicht bereit oder fähig ist, etwas Not-wendendes zu tun.

Erdung

Im Zusammenhang mit der Notwendigkeit von Therapie haben Sie gesagt, auf dem Lande werde vieles ohne große Therapie gelöst. Ist Therapie nur ein Heilmittel für die Großstadt? Ist das nicht eine Idealisierung des Dorfes und der Bauern?

In der Psychotherapie sehen wir die Störungen und schauen nicht so sehr auf jene, die ihre Probleme ganz selbstverständlich lösen, ohne Therapie in Anspruch zu nehmen.

Mir kommt es so vor, als sagen Sie: Auf dem Land ist alles mehr in Ordnung.

Nein, es hat mehr mit unmittelbaren Dingen zu tun. Es kommt z.B. darauf an, wie sich jemand seiner Arbeit stellt.

Deswegen hat ein Lehrling oft ein höheres spezifisches seelisches Gewicht als ein Student. Ein Lehrling kann sich nicht in Theorien flüchten oder seine Zukunft hinausschieben. Er ist jetzt schon gefordert, sich einer Wirklichkeit zu fügen. Das führt zu einer Erdung.

Erdung, was meint das?

Das Objekt ist uns entgegengestellt, und es bremst. Es ist eine Wirklichkeit, die mich zwingt, mich anzupassen und mich dem Gegebenen zu fügen. So fügt sich der Bauer der Erde, dem Wetter, der Jahreszeit, was immer es ist. Der Handwerker fügt sich dem Baumaterial, dem Handwerkszeug, dem Plan. Dazwischen gibt es auch Raum für schöpferisches Tun, aber das Material setzt ihm Grenzen. Darüber kann er nicht hinaus. All diese Gegebenheiten führen zum Einklang mit der Erde. Wer losgelöst davon lebt, sein Geld z.B. nicht verdienen muß, sondern unterstützt wird, der ist mit der harten Wirklichkeit nicht konfrontiert.

Jedes Schonen vor dem unmittelbaren Kontakt mit Wirklichem entfremdet den Menschen nicht nur von der Erde, sondern auch von sich selbst.

»Sünden haben auch gute Folgen«

Die subversive Seite der Ordnung

Wer stört die Ordnung? Alles was mit dem Kriegsgeschehen zusammenhängt, wenn einer zum Täter geworden ist? Oder auf der moralischen Ebene: Homosexuelle, uneheliche Kinder, die verschwiegen oder weggegeben werden, Kinder, die untergeschoben werden. Sind das Einzelfälle? Ich frage danach aus folgendem Grund: Wenn wir sagen, daß diese Ordnungen unabhängig von gesellschaftlichen Moralvorstellungen sind, dann hat das etwas Subversives. Dann kann diese »Seelenordnung« gesellschaftliche Vereinbarungen unter Umständen über den Haufen werfen.

Ja, das kann sie. Wenn man diese Art von Arbeit macht, zeigt sich, daß die Ausgegrenzten rehabilitiert werden müssen. Z.B. eine Frau mit fünf unehelichen Kindern von fünf verschiedenen Männern. Über sie ist man vielleicht moralisch entrüstet. Was die Moralisten aber nicht so leicht verstehen, ist: Sünden haben oft sehr gute Folgen – z.B. Kinder. Wenn man das System dieser Frau aufstellt, sieht man, sie hat eine ganz besondere Kraft, die jene, die sie verurteilen, nicht haben. Sie hat sich dem Leben auf besondere Weise gestellt. Sie hat die Sexualität mit ihren Folgen auf sich genommen und die Kinder durchgebracht.

Treue

Andererseits: Wenn man die Hintergründe des als unmoralisch geächteten Verhaltens genau anschaut, sieht man, es hat weitgehend mit Treue zum System zu tun. Auf so etwas Schweres läßt sich jemand nicht ein, unabhängig von einer systemischen Verstrickung. Oft hat ein Kind, das unehelich geboren wurde, auch ein uneheliches Kind. Das ist wie eine Art Einverständnis mit der Mutter. Eine Art Liebe und Treue zu ihr.

Bedeutet Treue immer auch Liebe, oder bedeutet es auch ungelöste Bindung?

Treue heißt Liebe. Und es bedeutet die Bereitschaft, das Schicksal der Familie mitzutragen.
Es gibt auch die Rebellion gegen die Familie, z.B. wenn sich ein Kind weigert, für die Eltern zu sorgen und sie zu pflegen, wenn sie alt sind. Das wäre Verrat an dieser Treue und Bindung. Aber man kann die Treue nicht brechen.

Die Treue wirkt dann in der Selbstbestrafung.

Sie kehrt sich um. Nicht unbedingt bei dem, der sich so verhält, sondern vielleicht erst bei seinen Kindern. Das sieht man immer wieder. Die eigentlichen Täter kommen oft ungeschoren davon. Erst die Kinder oder Kindeskinder bezahlen die Zeche.

Was bedeutet Treue in der Paarbeziehung?

Treue hat etwas mit der gemeinsamen Aufgabe zu tun, vor allem, wenn es Kinder gibt. Das Sich-aufeinander-verlassen-Können, daß man zusammen bleibt und die Kinder gemeinsam großzieht. Insofern ist die Treue ein hohes Gut. Bei Paaren, die keine Kinder haben oder haben wollen, hat sie nicht die gleiche Bedeutung.
Bei der Treue ist zu beachten: Treu sein ist häufig die Forderung eines Kindes an die Mutter, daß sie bleibt.

Auch wenn sie vom Partner ausgesprochen wird?

Die Angst, die hinter einer solchen Forderung steht, ist die des Kindes, daß es von der Mutter verlassen wird. Wenn diese Forderung an einen Partner gestellt wird, zerstört es die Beziehung. Dann ist der andere nicht mehr Partner, sondern Mutter. Das gilt gleichermaßen für Mann und Frau. Die Forderung nach dieser Treue stärkt die Beziehung nicht, sondern schwächt sie.

Unter Erwachsenen hieße Treue für mich: »Achte mich, und erweise dich als verläßlich für unser gemeinsames Tun.« Das stärkt die Liebe und gibt ihr Festigkeit. Wenn aber einer z.B. sagt: »Wenn du gehst, bringe ich mich um, denn dann hat das Leben keinen Sinn mehr für mich«, ist dies eine Verkennung der Paarbeziehung. Die Partner sind beide Erwachsene. Sie hängen nicht voneinander ab wie ein Kind von seiner Mutter. Wenn die Perspektive so verschoben wird, trennt sich der andere in der Regel, weil das nicht zumutbar ist.

Aber Untreue und Weggehen, das sind zwei verschiedene Paar Stiefel.

Es kann sein, daß es in einer Paarbeziehung auch eine bedeutsame Beziehung zu einem anderen Menschen gibt. Auch eine sexuelle Beziehung. Das kann man nicht von vornherein verurteilen. Menschliches Leben ist zu vielfältig. Wenn die grundsätzliche Treue und Verläßlichkeit zum Partner gewahrt bleibt und man dieses zusätzliche Erleben als persönliche Bereicherung nimmt und sie in die Paarbeziehung einfließen läßt, dann kann es auch eine gute Wirkung haben.

Auf der anderen Seite wird die Treue behindert durch eine ungelöste Bindung an die Herkunftsfamilie. Wenn z.B. eine Frau nicht von ihrem Vater gelöst ist, sucht sie neben ihrem Mann auch noch einen Vater, und das ist dann häufig ein Liebhaber. Das kann man nicht einfach verurteilen. Die Frage ist, wie bringt man das in Ordnung? Indem sie sich vom Vater löst und sich neben die Mutter stellt. Dann braucht sie vielleicht den Liebhaber nicht und kann sich dem Mann als Frau ganz zuwenden.

Das gleiche gilt natürlich für den Mann, der an seine Mutter gebunden ist. Indem er sich neben den Vater stellt, braucht er vielleicht keine andere Frau.

Umgekehrt, wenn sich eine Frau in der Ehe so verhält, als sei sie die Mutter und versucht, den Mann nachzuerziehen, dann sucht er sich vielleicht neben der Mutter noch eine Frau. Dann wird die Geliebte zur Frau und die Partnerin zur Mutter. Das gleiche geschieht bei der Frau, wenn sie einen Vater zum Mann hat. Da gibt es sehr viele Verwicklungen. Das alles auf den einen Nenner von »Treue oder Untreue« zu bringen, wird der Fülle des Lebens nicht gerecht.

Abtreibung

Was bedeutet systemisch gesehen eine Abtreibung?

Wenn ich es von den Wirkungen anschaue, ist es immer ein tiefer Einschnitt für die Frau und für den Mann. In China, wo das fast eine Überlebensstrategie ist, hat das sicherlich eine andere Bedeutung, als wenn es bei uns geschieht.

Auch hier wird der Schwangerschaftsabbruch von Frauen als Überlebensstrategie angesehen.

Die Frage ist, ob die Seele das auch so sieht. Man muß genau unterscheiden, was man sich dabei denkt und welche dieser Gründe von der Seele angenommen werden. Wenn sie nicht von der Seele angenommen werden, helfen die besten Argumente nichts, denn die Seele folgt anderen Gesetzen als dem Argument.

Die erste Wirkung, die eine Abtreibung hat, ist, daß die Beziehung in der Regel zu Ende ist. Das liegt ja ganz nah. Im Kind wird ja auch der Partner mit abgetrieben. Das ist wie ein Trennungsritual: Wir sind jetzt getrennt, für uns gibt es keine Zukunft als Paar.

Wenn es einen gemeinsamen Schmerz über das Geschehen gibt, kann ein Paar auch zusammenbleiben. Beide nehmen die Schuld auf sich und gestatten sich einen neuen Anfang. Aber die Intimität ist dann nicht mehr die gleiche wie vorher. Das muß man auch sehen.

Das andere ist: Die Partner bestrafen sich dafür, vor allem die Frauen. Sie bleiben dann z.B. allein oder gehen keine dauerhafte Beziehung mehr ein.

Abtreibung war zum Beispiel in den 50er Jahren ein Mittel der Empfängnisverhütung. Es gab 200 000 illegale Abtreibungen. Ich kenne kaum eine Frau, die nicht irgendwann schon einmal einen Schwangerschaftsabbruch gemacht hat und dennoch einen Partner hat.

Ich bin mir da nicht so sicher. Nur wenn man das System aufstellt, sieht man, was die Abtreibung für eine Beziehung ausmacht.

Ich will das nicht moralisch beurteilen. Aber das Wichtigste für eine Lösung scheint mir, daß man Abschied nimmt von der Vorstellung, man könne etwas ungeschehen machen. Bei einer Abtreibung ist die Vorstellung weit verbreitet: Das Kind ist abgetrieben, damit ist die Sache erledigt. Wenn sich jedoch jemand dazu entscheidet, im Wissen, daß es Folgen haben kann, die ein ganzes Leben andauern, hat es eine andere Qualität. Es ist ernst.

»Psychokapitalisten übelster Sorte«

Selbstverwirklichung, Bindung, Fülle

In unserem heutigen Denken steht die freie Entfaltung des einzelnen in der Werteskala ziemlich weit oben. In dem, was Sie als Ordnungen in Familiensystemen beschreiben, gibt es diese Freiheit nicht unbeschränkt. Welchen Stellenwert hat für Sie Selbstverwirklichung?

Oft wird unter Selbstverwirklichung verstanden, daß einer sagt: »Ich mache es unabhängig«, und »Ich mache es rücksichtslos«. Von Fritz Perls gibt es ein sogenanntes Gestaltgebet – das man so etwas auch noch Gebet nennt! – in dem sagt er sinngemäß: »Ich mache meine Sache, du machst deine Sache. Wie es dir dann geht, das geht mich nichts an. Ich gehe meinen Weg.« Hier werden die Bindungen verleugnet, und anderen werden die Kosten aufgebürdet. Ich nenne diese Selbstverwirklicher Psychokapitalisten übelster Sorte. Allerdings muß man auch sehen, daß sie mit dieser Selbstverwirklichung eine Außenseiterrolle übernehmen, die ihnen vielleicht durch eine Verstrickung aufgebürdet ist.

Wenn Familienväter oder Mütter ihrem Partner und den Kindern sagen: »Jetzt lebe ich mein Leben, und was mit euch ist, geht mich nichts an«, wird das in der Familie wie ein Verbrechen erlebt, für das ein Kind sühnt. Wenn sich jemand leichtfertig von seiner Familie trennt und sich weigert, für sie zu sorgen, stirbt oft ein Kind, oder es bringt sich um oder wird schwer krank. Es ist absurd, wenn einer meint, er könne sich losgelöst von seinen Bindungen entfalten. Man braucht sich die sogenannten Selbstverwirklichten ja nur anzusehen. Sie haben ein geringes Gewicht.

Woran merken Sie das?

Es ist nur ein Bild, aber es ist etwas dran. Man merkt, wieviel Kraft einer hat. Es gibt z.B. Therapeuten, zu denen gehen eher leichte Fälle. Schwere Fälle würden da nicht hingehen, weil sie spüren, der Therapeut hat nicht genug seelisches Gewicht, um das zu bewältigen. Wenn ein solcher Therapeut durch schweres Leid gegangen ist, merkt er plötzlich, daß auch andere Klienten zu ihm kommen. Er kann anders mitfühlen, und die Klienten spüren sein größeres seelisches Gewicht.

Das heißt, jeder Therapeut kann in seiner praktischen therapeutischen Arbeit nur so weit gehen, wie er selber einen Prozeß durchlebt oder durchlitten hat?

Ja. Es hat aber auch etwas mit dem Alter zu tun. Das seelische Gewicht wächst mit dem Alter. Die schwere und tiefe Arbeit kann eigentlich nur ein älterer Mensch machen, der lange gelebt hat. Jüngere machen leichtere Arbeit, z.B. eher dieses Entwickeln auf Fähigkeiten hin.

Es kommt oder es kommt nicht.

Es kommt durch den gewöhnlichen Vollzug. Wer gewöhnliche Dinge macht, sich ihnen stellt, wie das Leben sie bringt, der gewinnt dieses seelische Gewicht. Wer Außerordentliches sucht, hat weniger Gewicht.

Ist es nicht etwas kategorisch, wenn Sie sagen, selbstverwirklichte Menschen haben ein geringes spezifisches Gewicht?

Also »sogenannte«, das muß man schon sagen. Die eigentliche Selbstverwirklichung gelingt, wenn einer seiner inneren Berufung folgt, seiner besonderen Aufgabe, für die er in Dienst genommen ist. Wenn er die erfüllt, ist er verwirklicht. Dieser Mensch ruht in sich und hat in dem Feld, in dem er kompetent ist, Gewicht. Z.B. ein Handwerker oder ein Unternehmer oder ein Bauer oder eine Mutter, ein Vater oder ein Musiker. Es spielt keine Rolle, auf welchem Gebiet das ist. Diese Menschen haben das verwirklicht, worauf ihr Leben hinsteuert. Sie sind erfüllt.

In der Therapie geht es mir vor allem darum, Klienten bei dieser Selbstverwirklichung zu helfen.

Stärke und Schwäche

Sie arbeiten im Moment, wenn Sie Familienaufstellungen machen, vorwiegend mit Schwerkranken. Reicht da eine Sitzung?

Wo es um schwere Dinge geht und um Leben und Tod, kann man keine langen Trainingsprogramme machen. Z.B. bei Krebskranken. Was soll ich mit jemandem eine lange Psychotherapie machen, der im Angesicht des Todes steht?

Ich bringe ihn daher vor allem in Kontakt mit der Schwere seiner Krankheit, lasse ihn dem Tod ins Auge schauen und sehen, daß das Ende für ihn nahe ist. Dann suche ich, welche heilenden Kräfte es in seiner Familie gibt und was er noch in Ordnung bringen muß. Das kann ich in einer Sitzung machen.

Diese eine Sitzung reicht aus? Sie arbeiten doch meistens mit Menschen, die mit ihren Therapeuten kommen, die also in therapeutischer Behandlung sind?

In großen Gruppen ja. Damit die Therapeuten noch nachsorgen können, wenn das notwendig ist. Aber ich sehe auch die andere Seite. Wenn ich mit einem Schwerkranken eine Aufstellung gemacht habe, dann darf ich nicht sagen: »Nächste Woche sehen wir uns wieder.« Denn sonst verläßt er sich vielleicht auf mich, und ich wollte ihn ja mit seinen eigenen Kräften und den Kräften seiner Familie in Verbindung bringen. Es wäre also antitherapeutisch, wenn ich mehr machen würde als das.

Das heißt, der Therapeut kann die Kräfte des Klienten auch schwächen.

Genau. Wenn ich mit jemandem gearbeitet habe, ist das mein Hauptkriterium: Macht es ihn stärker, oder macht es ihn schwächer?

Wie sehen Sie Stärke und Schwäche?

Es gibt eine unmittelbare Wahrnehmung. Ich teste das manchmal in einer Gruppe. Wenn z.B. einer ansetzt, etwas zu sagen, und ich sage »stop«, frage ich die Gruppenteilnehmer: »Wenn er jetzt etwas sagt: macht es ihn stärker, oder macht es ihn schwächer? Was ist euer Eindruck«? Das wird fast von allen sofort wahrgenommen, auch von dem, der etwas sagen wollte.

Diese Wahrnehmung ist aber nicht begründbar.

Nein. Das ist ein unmittelbarer Eindruck.

Wie haben Sie das gelernt?

Mir war auf einmal klar, daß das ein wichtiges Kriterium ist. Ich habe an mir beobachtet, was mich stärker und schwächer macht. Und ich habe gesehen, daß alles, was schwach macht, die Lösung hindert. Auch, je kürzer etwas dauert, desto mehr Kraft bleibt für das Handeln.

Die Würze der Kürze. Liegt das auch daran, weil auf die Schnelle keine individuellen Konturen sichtbar werden? Im Ausblenden liegt natürlich auch eine Stärke, und die einfachen Raster passen besser. Man wird nicht verwirrt, wenn viel ausgeblendet wird.

Grundkräfte

Es geht hier um Grundkräfte. Stärke oder Schwäche, Sammlung oder Streuung, Vollzug oder Mehr-Wissen-Wollen. Das sind die Bewegungen, nach denen ich mich richte. Das Hauptkriterium ist: Macht es stärker oder schwächer?

Hat es etwas mit Energie zu tun?

Ja, sobald ich sehe, daß einer voller Energie ist, höre ich auf. Sonst läßt die Energie wieder nach.

Wie prüfen Sie die Wirkung? Sie sagen, Sie arbeiten mit Kranken in der Regel nur einmal, und dann wirkt das?

Warum sollte ich das nachprüfen? Wenn ich das nachprüfe, dann verhalte ich mich, als läge das Entscheidende in meiner Intervention.

Das Entscheidende ist nicht unbedingt, daß der Klient gesund wird. Ich weiß doch nicht, was dessen Schicksal ist. Ich helfe ihm, seinem Schicksal ins Auge zu schauen, daß er z.B. dem Tod ins Auge schaut. Und ich helfe ihm, daß heilende Kräfte ins Spiel kommen. Aber das zu wenden, mir das überhaupt vorzustellen, halte ich für absurd.

Es geht Ihnen auch nicht um die Wissenschaftlichkeit? Es schwebt ja gerade seit neuestem wieder die Frage im Raum, wie wissenschaftlich Psychotherapie eigentlich ist.

Die größte Wirkung sieht man im Augenblick des Handelns, also in der Therapie selbst. Wenn einer anfängt zu strahlen oder sich erleichtert zeigt. Diese Wirkung genügt mir. Wie aber soll man wissenschaftlich die Wirkung einer Familienaufstellung bei körperlich Kranken nachweisen? Diese Patienten sind ja auch in ärztlicher Behandlung und unzähligen anderen Einflüssen ausgesetzt. Wenn es ihnen dann nach einem Jahr bessergeht, kann man das doch nicht allein auf das Familien-Stellen zurückführen.

Noch einmal zurück zum Schicksal. Mit Ihrer Vorgehensweise hebeln Sie den Fortschrittsglauben der Psychotherapie aus, nämlich, daß man das Schicksal wenden kann, daß jeder sein Glück finden kann.

Ja, das tue ich. Diese Fortschrittsvorstellung verkennt die Größe der Mächte, die am Werk sind. Es gibt wirklich Leute, die sagen, die Welt ist falsch gemacht, und wir sind aufgerufen, das, was falsch gemacht ist, in Ordnung zu bringen.

Ist das der Grund, warum Sie sagen, die Psychotherapie sei auf dem Rückzug?

Ich begreife Psychotherapie eher als Seelsorge. Ich tue etwas für die Seele des anderen, damit er mit seinen Kräften in Kontakt kommt. Das hat etwas Religiöses, Spirituelles. Wenn ich ihn so entlasse, ist er mit sich in größerem Frieden, und er führt sein Schicksal im Einklang zu Ende, wie immer es ist. Wollte ich Schicksale in die Hand nehmen, wäre auch ich auf eine Weise ein Psychokapitalist.

Nun gibt es aber in der Psychotherapie auch andere Situationen, z.B. wenn einer eine Phobie hat und verhaltenstherapeutisch behandelt wird. Dann zielen die Maßnahmen auf ein eng umschriebenes Problem, und man kann den Erfolg wissenschaftlich überprüfen. Hier ist der Therapeut ein Macher, und da ist das Machen-Wollen legitim. Aber nicht bei den großen Problemen, wo es um Leben und Tod geht oder um schwere Krankheit oder um Schuld.

Einer Ihrer wichtigen Sätze heißt: »Die Wirklichkeit hilft.«

Ja. Die ans Licht gebrachte Wirklichkeit. Ich tue nichts, ich bringe ans Licht. Z.B. daß einer schwer krank ist oder sein

Tod nahe bevorsteht. Oder daß eine Schuld weiterwirkt. Ich brauche nicht mit ihm zu streiten oder ihn zu überzeugen. Es wirkt allein dadurch, daß es am Licht ist. Wer der erkannten Wirklichkeit zustimmt, der ist groß.

»Kinder gehören zu ihren Eltern«
Über Adoption und Inzest

Ich erinnere mich an einen Fall in Ihrem Seminar. Da war eine Frau, die hatte zwei Kinder adoptiert. Sie hat dann noch zwei Kinder bekommen. Nach einer bestimmten Zeit haben Sie die Aufstellung abgebrochen, mit dem Kommentar: »Wer lange genug auf einem Holzweg war, kann nicht mehr zurück.« Das hat viele erschreckt.

Das Erschrecken kommt von der Einsicht in die Wirklichkeit.

Sie haben gesagt, Adoptionen widersprechen der Ordnung. Doch in unserer Gesellschaft gilt es als besonders sozial. Adoptiveltern sind hoch angesehen.

Wenn jemand Kinder adoptiert, weil er selber keine Kinder hat und auf diese Weise welche bekommen will, ist das ein großer Eingriff in Ordnungen. Denn Kinder gehören zu ihren Eltern. Ich halte es auch für schlimm, wenn man einer jungen Mutter sagt: »Bevor du abtreibst, gib doch das Kind zur Adoption frei. Wir werden für das Nötige sorgen.«
Man müßte ihr sagen: »Steh zu dem Kind.« Wenn sie und der Vater selbst noch nicht für das Kind sorgen können, kann man helfen, daß das Kind von den Eltern der Mutter oder des Vaters aufgenommen wird. Oder von Verwandten. So kann man der augenblicklichen Not begegnen, und das Kind bleibt in der Familie. Aber Kinder einfach weggeben oder sie ohne Not nehmen, das halte ich für eine große Schuld.
Adoption ist gerechtfertigt, wenn Kinder niemanden haben. Wenn beispielsweise beide Eltern umgekommen sind oder

das Kind ausgesetzt wurde. Wenn dann jemand das Kind aufnimmt und es großzieht, ist das gerechtfertigt und groß.

Wenn Kinder leichtfertig adoptiert werden und ihren Eltern und Großeltern weggenommen werden, ist das ein großes Unrecht. Erstens am Kind, dem man die Eltern und seine Familie nimmt. Zweitens an den Eltern, die in Not sind und denen man das Kind auf diese Weise wegnimmt. Und drittens wird damit verkannt, daß einem Menschen sein Schicksal zugemutet werden muß.

Wenn z.B. ein Kind in einem Entwicklungsland in großer Armut aufwächst und fremde Menschen sagen: »Wir erretten dich und ermöglichen dir ein besseres Leben«, dann haben sie dem Kind vielleicht nicht wirklich geholfen. Dann wird ihm seine Familie und sein Schicksal nicht mehr zugemutet. Doch das gehört zu seiner Größe.

Daß die Seele der Adoptiveltern diese Form der Adoption als Schuld wahrnimmt, erkennt man, wenn sie für die Adoption mit einem eigenen Verlust bezahlen. Manchmal stirbt z.B. ein eigenes Kind. Es kommt sogar vor, daß eine Adoptivmutter, wenn sie schwanger wird, das Kind abtreibt. Es wird dann geopfert. Sehr häufig gehen die Ehen von Adoptiveltern auseinander. Dann wird ein Partner für das Kind geopfert.

Es gibt doch auch hunderte oder tausende von Fällen, wo Adoption gelingt. Es gibt viele glückliche Adoptivfamilien und Adoptivkinder.

Was ich sage, gilt für leichtfertige Adoptionen, wenn einer ein Kind für sich haben will, statt daß er ihm in der Not beisteht. Ich wende mich gegen den Mißbrauch des Adoptierens.

Wenn ein adoptiertes Kind sieht, daß es an den leiblichen Eltern keinen Halt hat, kann es sie als seine Eltern anerkennen, weiß aber, entwickeln kann es sich nur bei den Adoptiveltern. Es ehrt dann sowohl seine Eltern als auch die Adoptiveltern.

Andererseits gilt aber auch: Wenn Adoptiveltern ein Kind adoptiert haben und es entwickelt sich schlimm – vielleicht auch, weil sie es leichtfertig gemacht haben oder seine Eltern abgewertet haben –, dann können sie nicht einfach aussteigen. Dann müssen sie es tragen wie die Folgen einer Schuld.

Das heißt, grundsätzlich ist Adoption für Sie etwas, womit man ungemein vorsichtig umgehen sollte.

Genau. Ich plädiere eher für Pflege als für Adoption. Pflege hat etwas Vorläufiges.

Aber die Angst der Adoptiveltern bei der Pflege ist doch gerade, daß ihnen das Kind jederzeit wieder weggenommen werden kann, daß sie es nicht sicher haben?

Wenn sie es gut pflegen, haben sie es sicher.

Bei der Adoption stehen Sie ja mit Ihrer therapeutischen Sicht gegen die gesellschaftliche, die sagt: Es kommt auf den sozialen, nicht auf den leiblichen Vater an. Ebenso stehen Sie mit Ihrer therapeutischen Sicht im Falle von Inzest gegen die gesellschaftliche Moral. Das löst Stürme von Entrüstung aus.

Über das Thema würde ich am liebsten gar nicht reden, denn was immer man sagt, man stößt in ein Wespennest.
Für mich ist Inzest natürlich eine schlimme Sache. Das ist das allererste. Ich sehe es aber in einem Kontext: Wann kommt Inzest vor und in welchem Zusammenhang? Wer ist beteiligt? Es gibt ja ein Beziehungsgeflecht, in dem das vorkommt.

Ein Beispiel: Eine Frau erzählt in einer Gruppe, sie habe einen Selbstmordversuch gemacht. Vor dem Selbstmordversuch gab es eine Vergewaltigung oder eine sexuelle Nötigung. Sie machte den Unterschied. Also war es wohl eher eine sexuelle Nötigung. Sie hat den Selbstmordversuch als

Folge dieser Nötigung hingestellt. Dann sagte sie noch, ab dem elften Lebensjahr habe es Inzest mit dem Vater gegeben. Ich habe sie gebeten: »Stell diesen Mann, der der Nötigung bezichtigt wird, und dich in Beziehung zueinander.« Sie hat sie so hingestellt, daß beide sich leicht mit der linken Schulter berührten. Sie schauten dabei in die entgegengesetzte Richtung.

Die Frau, die in der Aufstellung die Klientin vertrat, fing heftig an zu zittern. Danach habe ich in einiger Entfernung den Vater dazugestellt und ihn das anschauen lassen. Ich habe ihn gefragt, wie es ihm geht, wenn der andere Mann bei seiner Tochter steht. Er sagte: »Es geht mir besser.«

Als nächstes habe ich die Tochter neben den Vater gestellt. Sie fing heftig an zu atmen und weiter zu zittern. Dann habe ich auch die Mutter dazugestellt, halbrechts vor den Vater mit etwas Abstand. Der Vater hat von sich aus den Arm um seine Tochter gelegt, und sie hat sich innig an ihn geklammert, ganz fest. Das war eine unglaubliche Intensität von Liebe, die da zwischen Vater und Tochter hin und her floß. Dann habe ich der Tochter gesagt, sie soll in ihre Kraft gehen, sich aufrichten, die Mutter anschauen und ihr sagen: »Ich mache es für dich und ich trage es für dich.« Sie hat es so gesagt und es hat gestimmt. Dann hab ich sie dem Vater sagen lassen: »Ich lasse dich bei der Mama. Dort ist dein Platz. Ich bin nur das Kind.« Der Stellvertreter des Vaters hat bitterlich geweint und gesagt, er spüre eine tiefe Liebe für die Tochter. Doch ich habe ihn zu ihr sagen lassen: »Es tut mir leid. Ich nehme es auf mich, alles, und ich entlasse dich jetzt mit Liebe.« Als dann die Stellvertreterin der Tochter sagte, sie merke, wie sehr sie ihren Vater liebe, habe ich sie zum Vater sagen lassen: »Ich habe dich sehr geliebt, und ich habe es gerne für dich getan. Doch jetzt ziehe ich mich zurück.« Das hat sie gemacht. Dann hat sie dem Mann, den sie der Nötigung bezichtigt hatte, gesagt: »Ich habe dich benutzt. Es tut mir leid. Ich lasse dich jetzt gehen und ich ziehe mich von dir zurück.« Als nächstes habe ich sie auch der Mutter sagen lassen: »Ich ziehe mich von dir zurück.« Zum Schluß stand jeder für sich allein, und die Tochter war frei.

Hier gab es keinen, bei dem ich Anklage erhoben habe. Doch die Schuld war ganz klar.

Bei wem? Bei der Mutter?

Und beim Vater. Bei beiden. Ich kann nicht erklären, was hier ablief, will es auch nicht. Mir ging es um die Lösung für alle. Jetzt könnte jemand kommen und sagen: »Das kann man doch nicht machen!« Aber auf wen schaut der dann? Schaut er auf das Opfer? Will er der Tochter helfen? Oder will er Rache üben und an wem? Und was bringt es, wenn die Rache gelingt? Wie geht es dann der Tochter? Der tiefere Zusammenhang wird dann aus dem Auge verloren.

Als ich bei dieser Aufstellung Vater und Tochter angeschaut habe, war mir klar, da läuft noch etwas anderes ab. Ich will es mit einem Beispiel erläutern.

In einem Kurs für Eheberater war ein Mann, bei dem während einer Familienaufstellung ans Licht kam, daß er seine Familie verlassen will. An diesem Punkt habe ich abgebrochen. Der Mann war sehr betroffen.

Nach einiger Zeit rief er mich an und sagte: Er wisse, warum er die Familie verlassen wollte. Er hatte eine Zwillingsschwester, die bei der Geburt starb. Er wollte ihr nachfolgen. Jetzt habe er dieser Schwester neben sich einen Platz gegeben, und könne nun leicht und glücklich bei seiner Familie bleiben.

Ein paar Monate später rief er mich wieder an und sagte: Ihm sei noch etwas ganz Wichtiges aufgegangen. Er war in Versuchung, mit seiner Tochter Inzest zu begehen. Dann ist ihm plötzlich klargeworden, daß die Tochter für ihn seine Zwillingsschwester vertrat. Von da an spürte er keine solche Versuchung mehr.

Wenn jemand an die Inzestproblematik vordergründig mit moralischen Urteilen herangeht, verkennt er leicht die größeren Zusammenhänge. Vor allem kann er dann niemandem helfen. Er kann höchstens bestrafen. Dann gibt es Böse und Gute. Und es gibt Triumphierende. Aber er läßt vielleicht ein Trümmerfeld in den Seelen zurück.

Soweit ich Ihre Aufstellungen kenne, hatten die Mütter immer einen großen Anteil daran. Diese Aussagen von Ihnen, die Frauen seien die graue Eminenz im Hintergrund des Inzests, sorgen für große Empörung. Eben haben Sie auch von Schuld gesprochen. Sind jetzt die Frauen schuld am Inzest?

Genausowenig, wie ich den Mann in diesem Sinne beschuldige, beschuldige ich die Frau. Ich bringe nur eine verborgene Dynamik ans Licht und frage, wie kann ich allen Beteiligten helfen, einen Weg aus ihrer Verstrickung zu finden?

Die häufigste Dynamik bei Inzest ist das Bedürfnis nach Ausgleich. Oft entzieht sich in einer solchen Familie die Frau dem Mann. Nicht, weil sie böse ist, sondern weil sie z.B. merkt, daß sie die Familie verlassen will. Vielleicht will sie auf diese Weise einem verstorbenen Geschwister nachfolgen. Gleichzeitig hat sie Schuldgefühle und sucht, damit sie gehen kann, quasi eine Ablöse. Dann tritt eine Tochter an ihre Stelle. Doch nicht, weil die Mutter sie hinschiebt. Es ist eine geheime Dynamik, ein geheimes Einverständnis. Das läuft unbewußt ab, bei der Mutter wie bei der Tochter. Deswegen ist das auch so schwer zu fassen.

Schuld trägt in erster Linie der Mann. Er weiß ja, was er macht, auch wenn er die systemischen Hintergründe nicht erfaßt. Die Frau weiß in der Regel nicht, was sie macht, weil ihre Rolle unbewußt bleibt.

Das heißt, die Mutter ist verstrickt, und der Mann trägt Schuld.

Verstrickt sind sie alle. Dennoch gilt für mich der Grundsatz: Was immer einer macht, und sei er noch so verstrickt: Er muß die Folgen tragen. Ich würde daher den Mann nicht durch den Hinweis auf die Verstrickung entlasten und sagen: »Du bist schuldlos.«

Sie würden auch nicht sagen: »Deine Frau ist schuld, sie hat dich ja hingeschoben.«

Nein. Er kann das nicht auf die Frau abschieben. Das ist ganz klar. Aber wenn deutlich wird, daß die Frau mitverstrickt ist, dann muß sie ihren Teil der Schuld auf sich nehmen und der Tochter sagen: »Es tut mir leid, ich habe dich dem Vater ausgeliefert. Ich hab's aber nicht gewußt. Von mir aus bist du frei, und ich gebe dir auch den Schutz, den du brauchst, indem ich jetzt meine Stelle als Frau wieder einnehme.« Aber nicht in dem Sinne, daß sie den Mann angreift. Das geht nicht, wenn sie mitschuldig ist.

Es ist ungemein wichtig, diese feinen Differenzierungen zu treffen, und Inzest auch auf einer anderen Ebene zu erörtern als auf der gesellschaftspolitischen Ebene des Geschlechterkampfes.

Genau. Ich helfe einzelnen Menschen, aus ihrer Verstrickung zu kommen. Mehr nicht. Ich bleibe auf meinem Feld.

Es gibt auf zwei Ebenen Kritik an Ihnen: Frauen sagen: »Aha, jetzt ist die Frau auch noch am Inzest schuld. Schon wieder die Frauen, und die Männer werden in Schutz genommen.« Ich denke, das ist ein Mißverständnis. Es schiebt etwas auf die gesellschaftspolitische Ebene, was in den therapeutischen Raum gehört und dort noch einmal fein differenziert werden muß.
Zum anderen wird die Ordnung, die Sie hinter dem Geschehen des Inzests vermuten, als patriarchalisch kritisiert. »Hellingers Ord-

nungssystem ist ein patriarchales, und innerhalb dieses patriarchalen Systems funktioniert das zwar, aber immer zu Lasten der Frau.«

Auch das ist ein Mißverständnis, doch gehe ich jetzt nicht darauf ein.

Ich möchte für die Lösung beim Inzest noch etwas anderes zu bedenken geben. Durch das sexuelle Erlebnis entsteht eine Bindung zwischen Täter und Opfer. Diese Bindung hindert das Kind, sich später einem anderen Partner voll zuzuwenden. Diese erste Bindung geht sehr tief. Deswegen ist dieses: »Ich ziehe mich jetzt von dir zurück« und beim Vater: »Ich lasse dich gehen und nehme die Schuld auf mich«, so wichtig. Es löst die Bindung.

Zu dieser Lösung gehört auch, daß die Tochter sagt: »Ich hab's gern für dich getan«. Warum?

Nicht immer. Aber wenn der Satz eine Lösung bewirkt, dann weil er die Tochter in Kontakt bringt mit ihrer Liebe zum Vater. Die war ja da. Wenn diese Liebe gewürdigt ist, kann sich die Tochter mit Würde zurückziehen und sich als Frau einem anderen Mann mit Liebe zuwenden. Die Verteufelung auch in dieser Hinsicht ist schlimm, weil sie die Bindung zementiert, statt daß sie sie löst.

Was bedeutet das für die Rolle des Therapeuten, wenn Sie sagen, im therapeutischen Raum geht es nicht darum, den Mann zu verurteilen?

Weder den Mann noch sonst jemanden. Wer als Therapeut im gesellschaftlichen Bereich tätig wird, z.B. indem er einen Täter anzeigt, kann nicht mehr im persönlichen Bereich helfen.

Ein Beispiel: Ein Ehepaar hat zwei Kinder in Pflege genommen, von denen das eine vom Vater mißbraucht wurde. Der Vater sitzt im Gefängnis. Die Pflegemutter dieser Kinder war früher die Therapeutin dieser Familie. Ich habe sie bei der Aufstellung gefragt, ob sie mit daran beteiligt war, daß der Vater ins Gefängnis kam. Erst hat sie das verneint, dann hat sie gesagt: »So ganz aufrichtig ist es nicht, wenn ich sage, daß ich nicht mit schuld war.«

In der Aufstellung habe ich dann die leibliche Mutter und den Vater abgewandt nach außen gestellt und die Tochter hinter ihren Vater, so als wollte sie ihm nachfolgen. Das war der einzige Platz, auf dem sie sich wohl fühlte. Die Botschaft war deutlich: Dadurch, daß er verurteilt wurde, folgt sie ihm nach. Dann habe ich den Vater umgedreht und die Tochter neben ihn gestellt. Es war allen sichtbar, sie liebt ihn ganz tief. Diese Therapeutin, die jetzt die Pflegemutter der Kinder ist, kann dem Kind nicht mehr helfen und nicht für es da sein. Sie hat eingegriffen, wo sie nicht befugt war, einzugreifen.

Was haben Sie ihr gesagt?

Ich habe ihr gesagt, sie muß das Kind zurückgeben.

An die Eltern?

Nein, aber woanders hin. Sie kann das Kind nicht behalten. Es muß in eine andere Umgebung kommen. Ich habe die Pflegemutter auch dem Vater gegenübergestellt und sie sagen lassen: »Ich geb dir einen Platz in meinem Herzen.« Das konnte sie nicht. Dann habe ich die Aufstellung abgebrochen. Aber sie war eine einsichtige Frau. Ich habe gemerkt, wie sehr es in ihr arbeitete, und hatte das Gefühl, sie wird gut damit umgehen. Aber das zeigt nochmals, wie gefährlich es ist, wenn man den therapeutischen und den öffentlichen Raum vermischt. Ein Therapeut kann nicht auf diese Weise eingreifen. Die öffentliche Ordnungsmacht muß eingreifen. Sie hat dazu das Recht und die Pflicht.

»Sexualität ist größer als die Liebe«

Über Liebe, Gewalt und Bindung

Die Sexualität wurde im Laufe der vergangenen 30 Jahre in vieler Hinsicht enttabuisiert. Heute leben wir eher in einer Zeit, in der die Lust abhanden kommt, scheint mir. Welche Rolle spielt die Sexualität?

Wir leben mit einer gezähmten Sexualität. Wir haben sie gezähmt und aus einem reißenden Bach einen Kanal gemacht, in dem das Wasser steht. Weil wir sie völlig unter Kontrolle haben wollen, haben wir sie natürlich auch ihrer Größe und ihrer Folgen entkleidet.

Tod

Der sexuelle Vollzug ist die Grundlage des gesamten Lebens. Er ist der größte menschliche Vollzug überhaupt. Er geschieht im Angesicht des Todes, denn die Sexualität ist notwendig, weil es den Tod gibt.

Sie enthüllt die eigene Vergänglichkeit. Ein Paar, das Kinder zeugt, weiß, daß die Kinder ihre Eltern überleben. Indem sie ein Kind zeugen, machen sie ihm auch Platz.

Und die Sexualität ist gefährlich. Die Eltern wissen, daß Schwangerschaft und Geburt gefährliche Erfahrungen sind, die eine Frau das Leben kosten können, früher sehr viel häufiger, aber auch heute noch. Auch in dieser Hinsicht geschieht sie im Angesicht des Todes.

Sexualität und Tod gehören ganz eng zusammen. Der sexuelle Vollzug in diesem tiefsten Sinn ist eigentlich erst möglich, wenn er im Bewußtsein von Tod geschieht. Er blickt immer auf das Ende, auch auf das Ende dieser Beziehung.

Gerade durch das Wissen, daß auch die Beziehung durch den Tod endet, gewinnt sie an Intensität. Aber indem sich ein Paar diesem Vollzug mit diesem Wissen in Liebe anheimgibt, überlebt etwas von ihnen. Das gibt der Sexualität ihre Größe.

Was Sie beschreiben, setzt ja zwei Dinge voraus: Erstens, daß Sexualität in Liebe vollzogen wird. Davon kann man heute nicht mehr so einfach ausgehen. Und zweitens, daß sie geschieht, um ein Kind zu zeugen.

Das mag sein, und doch ist das die Grundlage der Sexualität. Die Sexualität hat die gleiche Wirkung, auch ohne Liebe. Zeugung kann auch ohne Liebe geschehen und ist dennoch genauso groß, wie wenn sie mit Liebe geschieht. Am Ergebnis ändert die Liebe oder der Mangel daran nichts. Die Sexualität kommt vor der Liebe. Sie ist größer als die Liebe. Manche würden es eher umgekehrt sehen, aber die Bindung, die sie auf einer ganz tiefen Ebene schafft, ist jenseits der Liebe. Sie ist wie Schicksal.

Gewalt

Zum Beispiel: Wenn es eine Vergewaltigung gab, dann ist die Sexualität dennoch etwas ganz Großes. Es ist nicht die Sexualität, die dadurch schlimm wird. Die Sexualität ist davon nicht betroffen, es sind nur die Umstände, die schlimm sind. Die Sexualität hat dennoch ganz tiefe Wirkungen. Die Betroffenen können diese Wirkungen nicht rückgängig machen. Manchmal wird eine Frau durch eine Vergewaltigung schwanger. Auch wenn das Kind abgetrieben wird, können die Wirkungen nicht rückgängig gemacht werden. Damit werden weder die Vergewaltigung noch die Bindung, die dadurch entsteht, noch die Mutterschaft und Vaterschaft rückgängig gemacht. Die Folgen bleiben, wie immer wir sie moralisch bewerten.

Die Frage ist aber, wie kann man den Beteiligten helfen, das Schlimme in Ordnung zu bringen?

Ein Kind, das aus einer Vergewaltigung entstand, müßte dem Vergewaltiger sagen: »Du bist mein Vater, und ich nehme dich als meinen Vater.« Was will es denn sonst machen? Es kann doch nicht sagen: »Du bist nicht mein Vater« oder: »Ich nehme dich nicht als Vater.« Das wäre völlig unsinnig. Also: »Du bist mein Vater und du bist für mich der einzig Richtige. Es gibt keinen anderen für mich.« Das gleiche müßte es zur Mutter sagen.

Wenn die Mutter die schlimmen Folgen der Vergewaltigung für das Kind in Ordnung bringen will, müßte sie dem Mann sagen: »Du bist der Vater unseres Kindes. Ich nehme und achte dich als Vater von unserem Kind.«

Warum soll sie ihn achten, wenn es ein gewaltsames Geschehen war?

Sie soll ihn als den Vater des gemeinsamen Kindes achten. Das Ergebnis ist ja da und sichtbar. In diesem Kind sieht daher die Mutter immer auch den Vater. Wenn sie ihn nicht im Kind sehen will, lehnt sie das Kind ab. Sie schaut dann nicht auf das Ergebnis, sondern auf die Umstände.

Erst wenn sie das Geschehen im Gesamtzusammenhang sieht, in dem Sinne, daß aus dem Schlimmen etwas Gutes entstanden ist, kann sie zustimmen und sagen: »Jetzt bin ich mit dem Schlimmen versöhnt, weil ich das Gute anschaue, das daraus entstand.« Wenn ihr dieser Schritt gelingt, kann sie das Kind mit Liebe anschauen. Dann kann das Kind auch seinen Vater nehmen.

147

Wenn die Mutter den Vater im Kind ablehnt, kann dieses seinen Vater nur schwer anerkennen und nehmen. Wenn es dem Kind gutgehen soll, muß es der Mutter gelingen, daß sie den Vater des Kindes anschaut und achtet.

Reicht es nicht, wenn sie ihr Kind liebt und sich dadurch auch mit den Umständen versöhnt?

Nein, das geht nicht weit genug. Um das Kind zu lieben, muß sie es anschauen. Wenn sie es anschaut, sieht sie den Vater in ihm. Wenn sie den Vater mißachtet, mißachtet sie damit auch das Kind. Das ist die andere Seite. Das Kind duldet es nicht, daß der Vater in ihm nicht geliebt wird. Sonst würde es aus Treue zu seinem Vater so werden wie er.

Und die Frau kann den Vater in ihm nicht lieben, wenn sie nicht den Vergewaltiger liebt?

Lieben heißt hier: Ich achte, daß etwas ganz Großes geschehen ist, was immer die Umstände waren. Die Schuld wird dadurch nicht aufgehoben. Überhaupt nicht. Aber sie wird in einem größeren Zusammenhang gesehen. Die Frau anerkennt: Etwas Großes ist vorgegangen, das ihr Leben verändert hat, und ein neues Leben ist da. Dem stimmt sie jetzt zu, wie es ist, auch den Umständen, durch die es entstanden ist. Das ist eine Art tiefer Achtung vor dem Schicksal.

Was Sie sagen, entspricht nicht unserer gewöhnlichen Vorstellung von Liebe.

Das hat etwas von: »Liebe ist stark wie der Tod«. Eine Frau erlebt bei einer Vergewaltigung, wie nah das Erleben am Tod ist. Etwas Gewaltsames war am Werk, das sie nicht steuern konnte, dem sie ausgeliefert war. Dennoch hat sich dadurch etwas gefügt.

148

Wenn die Frau, die ja die Leidtragende ist, zur Anerkennung der Bindung und der Folgen fähig wäre, hätte sie eine besondere Kraft und Würde. Stellen Sie sich vor, eine Frau ist zu einem solchen Vollzug fähig, daß sie zu ihrem Kind sagt: »In dir achte ich deinen Vater, was immer auch war. Ich freue mich, daß du da bist, und ich stimme dem Vollzug nachträglich zu, wie er war.« Was für eine Größe ist da drin. Und wie geht's dann dem Kind?

Der Normalfall der Vergewaltigung ist nicht, daß daraus Kinder entstehen. Meistens kennt die Frau den Vergewaltiger nicht. Stellt sich das Problem dann anders?

Bindung

Auch aus so einer Vergewaltigung entsteht eine Bindung.
In einer Gruppe hat eine Frau eine Aufstellung gemacht von einer Familie, in der es um Inzest ging. Sie war eine Therapeutin dieser Familie. Während sie diese Familie aufstellte, fing sie heftig an zu weinen.
Am nächsten Tag kam sie und hat mir gesagt, sie habe sich bei der Aufstellung an ihre Vergewaltigung als junges Mädchen erinnert. Dann sei ihr in der Nacht plötzlich aufgegangen, wie tief sie diesen Mann liebt und wie sie sich über diese Liebe jetzt von ihm lösen kann.
Es ist schwer, sich hier von moralischen Vorstellungen frei zu halten und anzuerkennen, daß solche Erfahrungen tiefe Wirkungen haben, ob wir sie wahrhaben wollen oder nicht.

Wenn Sie von Bindung sprechen, hat das nichts mit Moral zu tun. Es hat nichts mit Ehe, mit Liebe zu tun, sondern?

Es sind Lebensvorgänge. Sie haben nichts mit Gut und Böse zu tun. Ich beschreibe sie wie ein Naturereignis.

So wie die Naturgewalt der Wellen oder des Wassers.

Genau. Der Welle schreibt man auch nicht vor, wie sie fließen muß. Ich sehe aber, wie sie fließt.

Was würden Sie einem Vergewaltiger sagen?

Bis jetzt hat kein Vergewaltiger meine Hilfe gesucht. Wenn aber einer ernsthaft meine Hilfe wollte, ist mir klar, was ich ihm sagen würde.

Das erste ist, daß er der Frau ins Auge schaut, sich tief vor ihr verneigt und sagt: »Ich habe dir Unrecht getan. Es tut mir leid. Ich gebe dir meine Achtung, und ich gebe dir in meinem Herzen einen Platz.«

Das zweite ist, daß er anerkennt, daß seine Schuld nicht aufgehoben werden kann. Die Achtung vor der Frau oder vor dem Kind kann der Mann nur in Anerkennung seiner Schuld haben, einschließlich der schlimmen Folgen für ihn, z.B. wenn er dafür verurteilt wird.

Ein Vergewaltiger ist meist jemand, der Angst hat vor der Frau. Die Angst wird dann überspielt durch Gewalt. Der Macho überspielt das auch. Aber in der Tiefe hat diese Angst zu tun mit der Ahnung der Nähe zum Tod. Nicht in dem Sinne, daß man stirbt, sondern die Ahnung, daß an etwas Tiefes gerührt wird.

Wagner bringt das wunderschön im Siegfried zum Ausdruck. Siegfried hatte, als er Brunhilde aufweckt, das Fürchten noch nicht gelernt. Plötzlich überkommt ihn die Furcht. Im Grunde spürt er eine Todesangst, nicht die Angst vor dem Tod, sondern eine Angst, die mit der Größe des Todes zu tun hat. Er ruft seine Mutter um Hilfe an, die bei seiner Geburt starb. So erkennt er, daß alles, was mit Frau zu tun hat, auch etwas mit Tod zu tun hat, so wie sein Leben seine Mutter den Tod gekostet hat. All diese Ahnung von der Gefährlichkeit, der Größe und des Risikos, das damit verbunden ist, und auch von dem, was Frau und Mutter bedeutet, wird in einem solchen Zusammenhang ganz tief erahnt.

Aber Vergewaltigung ist einfach ein traumatisches Ereignis.

Was immer es ist. Auf die Weise, die ich beschreibe, wird für eine Frau das traumatische Ereignis eher geheilt oder zumindest gemildert. Jeder andere Versuch, damit umzugehen, z.B. durch Vorwurf oder Selbsterniedrigung, hat genau die entgegengesetzte Wirkung. Es fesselt die Frau an das Ereignis.

Trieb

Sexualität hat auch in der Natur oft etwas Gewaltsames. Hier wirkt ein Trieb, der zum Leben gehört und es voran zwingt, auch mit Gewalt.

Es gehört aber doch zu den Errungenschaften des Menschseins, das gewalttätige Potential zu domestizieren?

Das ist eine große Errungenschaft. Aber daß wir die Sexualität zähmen müssen, zeigt uns auch, wie groß diese Kräfte sind.

Das mag eine Ebene sein. Andererseits: Wer sich als Vergewaltiger einer Frau bemächtigen muß, erscheint mir krank.

Das stimmt sicherlich. Vor allem aber widerspricht es unseren Normen und unseren Errungenschaften. Es ist etwas, was wir nicht wollen und das wir zu verhindern suchen, schon allein zum Schutz der Frauen. All das ist in Ordnung. Doch die gewalttätige Sexualität nur in den Bereich des Krankhaften zu verbannen würde dem nicht gerecht.

Vergewaltigung wird von Frauen immer wieder als vernichtend erlebt.

Es kann vernichtend sein. Auch die Sexualität, die aus Liebe geschieht, kann vernichtend sein, z.B. wenn die Frau bei der Geburt stirbt. In der Hinsicht ist da kein Unterschied. Es ist immer etwas, das uns im Innersten erfaßt und auch gefährdet. Wenn wir die Sexualität in dieser Größe sehen, mit ihrer Wucht und Gewalt, können wir ehrfürchtiger damit umgehen. Wer meint, sie mit Geboten und Verboten fesseln zu können, verkennt und verdrängt unser Ausgeliefertsein an ihre Macht.

Aber Vergewaltigung gehört doch nicht dazu?

Um Gottes willen! Aber an diesem Beispiel wird deutlich, wieviel größer wir die Sexualität sehen müssen. Wir werden von der Sexualität in einem tiefen Sinn vergewaltigt und überwältigt. Daß das auch diese extremen Formen annehmen kann, liegt in der Natur der Sexualität und nicht in der Natur eines individuellen Täters.

Was ist daran dann überhaupt Freude?

Daß man von einem großen Strom getragen ist und sich tragen läßt.

Sie haben am Anfang gesagt: »Wir haben die Sexualität domestiziert.« Was meinen Sie damit?

Durch die Verhütungsmittel etwa ist sie zu etwas leicht Verfügbarem geworden, ohne die ursprünglichen Folgen. Wenn die Zeugung als Möglichkeit und Risiko mit in Kauf genommen wird, hat die Sexualität eine andere Tiefe und Kraft. Nicht, daß sie nur so sein darf. Aber man sollte sehen, daß es einen Unterschied macht, ob ein Kind kommen könnte oder ob allein die Paarliebe oder das Vergnügen im Mittelpunkt steht.

Sünde

Sexualität ist noch auf eine andere Weise domestiziert. Sie wurde zur Sünde gemacht. Auch das ist eine Form der Domestizierung. Um nochmals auf den Inzest zurückzukommen. Er wird von einigen so beschrieben, als würde dadurch die Seele des Kindes getötet. Das ist eigentlich eine seltsame Vorstellung, wenn man weiß, was Sexualität für das Leben bedeutet. Wenn ein Kind mit der Sexualität so früh in Berührung kommt, kommt es ganz früh, wenn auch auf eine bedrohliche Weise, mit der Wucht von Leben in Berührung.

Diese Wucht des Lebens kann eine so zarte Kinderseele auch töten.

Das kann sie, wie Sexualität auch sonst töten kann. Aber wer diese Erfahrung überstanden hat, erreicht eine Tiefe und Kraft, die ein anderes Kind nicht hat.

Was uns schadet, macht uns gerade stark?

Nein, auf diese billige Weise nicht. Ich will es noch einmal an einem Beispiel verdeutlichen: Viele Prostituierte sind mißbrauchte Mädchen. Sie sagen dem Vater unbewußt: »Wenn jemand Schuld auf sich nehmen muß, dann nehme ich sie lieber auf mich.« Wenn ich als Therapeut diese Seite ans Licht bringe, erkennt das Mädchen die Größe seiner Liebe, und was es dafür getan hat. Wenn das am Licht ist, kommt ein eigentümlicher Glanz auf die Gesichter, und man spürt ihre Kraft. Ein unschuldiges Kind kann das nicht haben. Es wäre natürlich schlimm, das deswegen gutzuheißen. Darum geht es nicht. Die Redeweise: ›Es tötet die Seele des Kindes‹, dient eher als Waffe gegen die Täter, wird aber dem Kind nicht gerecht. Meine Überlegung soll helfen, die Seele des mißbrauchten Kindes zu sehen und ihm zu helfen, wieder zu seiner Würde zu finden.

Haben Sie das bei den mißbrauchten Frauen so erlebt?

Bei vielen mißbrauchten Frauen habe ich das gesehen. Wenn das Trauma des Inzests überwunden ist, haben sie eine besondere Würde und Kraft. Aber durch die Verteufelung ist die Überwindung sehr viel schwerer. Dann bleibt es oft bei der Verletzung und nicht bei der Heilung.

Sie sagen, Verhütungsmittel verändern die Sexualität und nehmen ihr in gewisser Weise etwas von ihrer Tiefe. Doch die Trennung von Sexualität und Fortpflanzung ist für Frauen eine große Errungenschaft, denn die Verbindung von Sexualität und Tod ist vor allem eine weibliche Erfahrung und keine männliche.

Auf der einen Seite ist es eine Errungenschaft, und auf der anderen Seite ist damit ein Verlust verbunden.

Stimmt das wirklich? Die Entdeckung der weiblichen Lust und des Genusses von Sexualität ohne Folgen ist für Frauen doch ein Gewinn?

Die weibliche Lust ist nicht in den letzten dreißig Jahren entdeckt worden, höchstens wiederentdeckt. Sie ist in einem bestimmten kulturellen Zusammenhang verpönt gewesen. Und sind Sie so sicher, daß die unverbindliche Sexualität wirklich ohne Folgen ist? Beim Familien-Stellen kann man sehen, daß es nicht so ist. Aber darum geht es nicht. Es geht darum, daß die Sexualität nicht mehr den Stellenwert hat wie vorher. Sie zieht weniger Aufmerksamkeit auf sich, trotz der Befreiung.

Das hat wohl etwas damit zu tun, daß wir sie nicht mehr so ernst nehmen und daß sie als Ausdruck von Liebe, von Vereinigung, von Bestätigung und von Dauerhaftigkeit viel von ihrer früheren Funktion eingebüßt hat. Sexualität, losgelöst von Beziehung, verliert ihre erfüllende Bedeutung.

Das glaube ich nicht! Viele Paare leiden unter ihrer Lustlosigkeit und sehnen sich nach Erfüllung. Ich würde einfach mal bestreiten, daß die Sexualität ihre erfüllende Bedeutung verloren hat. Ich glaube eher, wir haben das angesichts unserer Lebensweise aus dem Blick verloren. Unser Leben ist ja auf alles andere als auf Sinnlichkeit angelegt. Dazu gibt es in unseren Breiten ja auch keine Kultivierung der körperlichen Liebe oder eine echte Liebeskultur.

Erfüllte Sexualität gelingt, wenn sie Ausdruck der Beziehung ist. Die größte Kultivierung der Sexualität wäre daher, wenn sich Mann und Frau dabei in die Augen schauen. Dann bräuchte es keine weiteren Übungen im Sinne von: »Was machen wir jetzt, damit die Lust gesteigert wird?« Das wäre lächerlich.

Genau. Das wäre die klassische Aufklärungsmasche der 60er Jahre. »Jetzt zeige ich dir, wie die Frau funktioniert und wie der Mann funktioniert.« Das ist eine Aufklärung, die wenig mit der Seele zu tun hat. Liebeskunst meint etwas anderes. Es hat mit Hingabe zu tun.

Erfüllende Sexualität ist auch ein Vorgang der Seele. Wenn es in der Seele stimmt, fließt das Sinnliche von selbst. Umgekehrt, wenn die Sexualität austrocknet, trocknet manchmal auch die Seele aus.

Ausgetrocknete Seelen müssen nicht ausgetrocknet bleiben. Es gibt Wege für die Menschen, ihre Seele wieder zu nähren und damit auch zu ihrer Lust zurückzufinden.

Das gibt es, wenn die Sexualität sich verbindet mit Liebe. Doch oft gehört zur Sexualität auch der Verzicht. Das hat mit Achtung zu tun, mit sich sammeln. Denn jede menschliche Beziehung ist gleichzeitig ein Sterbeprozeß. Etwas stirbt in uns ab. Z.B. eine Illusion. Das Paar wird dann stiller und gelassener. Manchmal gehört dazu auch, daß die Sexualität nachläßt. Doch das bringt in der Tiefe manchmal noch etwas anderes, Besonderes ins Glühen.

»Aus der Entrüstung kommt wenig Gutes«

Über Politik und Engagement

Sie sind 1969 nach Deutschland zurückgekommen. Das heißt, Sie haben die Studentenbewegung noch miterlebt. Hatten Sie Sympathien dafür? Zeitgeschichtlich gesehen, sehe ich darin einen wichtigen Einschnitt in der Geschichte der Bundesrepublik.

Das war so für Ihre Generation. Aber für meine Generation, die durch ganz anderes gegangen ist, war das etwas Vorübergehendes.

Es gibt manche Menschen, auch Ihrer Generation, vielleicht ein bißchen jünger, die sagen, sie hätten sehr erleichtert aufgeatmet, weil diese ganze Geschichte des Nazismus endlich offen angesprochen wurde.

Das war für mich nicht so. Zum einen war ich in diese Geschichte nicht involviert. Ich stand auf der anderen Seite. Schon mit 17 Jahren bin ich von der Gestapo als »Volksschädling« eingestuft worden. Zum anderen halte ich diese ganze Diskussion für völlig abwegig. Sie argumentiert auf der gleichen Grundlage wie die Nazis selbst. Eine Gruppe hält sich für besser und sagt: »So geht's nicht weiter.« Diejenigen, die sich für berufen halten, die Welt zu verbessern, haben eine ähnliche aggressive Energie. Nur die Vorzeichen sind anders, aber der Eifer, der Zerstörungswille, sagen wir das Anstürmen, die Straßenschlachten unterscheiden sich wenig von denen, die ich bei den Nazis gesehen habe.

Aber der Impuls war doch ein anderer?

Die Bewegung hat 1933 ganz ähnlich angefangen, wie Sie es vermutlich für die 68er beschreiben würden. Mit Aufbruch und »Jetzt kommen wir, was wollt ihr Alten!«

Die 68er waren sehr schillernde Kinder, angefangen bei Flower Power, über Kinderläden und freie Schulen, erste Ansätze der Frauenbewegung, Musik, Drogenkonsum und freie Liebe.

Auch bei den Nazis gab es eine Jugendbewegung: Zurück zur Natur, auf den Bauernhof ... Endlich raus aus der Abhängigkeit von den Reparationen und von der Besetzung des Rheinlandes. Raus aus dem Versailler Friedensdiktat. Das war vom Gefühl her mit Freiheit verbunden.

Das irritiert mich wirklich. In meinem Geschichtsbild hat diese 68er Bewegung mit dazu beigetragen, unsere Gesellschaft demokratischer und toleranter zu machen.

Ich schaue diese Bewegungen vergleichend an. So wie ich Religionen vergleichend anschaue. Im emotionalen Ausdruck sind sie sich ähnlich, unabhängig von den Inhalten.

Aber die emotionale Seite ist doch etwas anderes als die politische Seite. Diese Unterscheidung scheint mir wichtig. So wie es den therapeutischen und den öffentlichen Raum gibt, so meine ich auch, daß es unterschiedliche Ebenen gibt, auf denen man solche Bewegungen zeitgeschichtlich bewerten kann. Das eine ist die Seite der Stimmung. Etwas anderes ist die politische Essenz oder die politische Wirkung im zeitgeschichtlichen Rahmen. Da muß man doch differenzieren.

Entrüstung

Ich bin da sehr vorsichtig. Alle, die sich für besser halten, sind für mich verdächtig. Das gilt auch für Bewegungen.

Nehmen Sie die Bemühungen um die Aufarbeitung der Vergangenheit in Ostdeutschland. Einige, die früher Opfer waren, verfolgen die Täter mit ähnlichem Eifer, mit dem jene es damals mit ihnen taten. Für mich aber ist menschlicher Fortschritt damit verbunden, daß wir nach solchen Erfahrungen einander sagen können: »Was immer auch war, wir gestatten uns einen neuen Anfang.«

Was ist mit den Opfern? Die vielen kleinen und großen Dissidenten oder einfach Nonkonformisten, die durch die Stasi bespitzelt, verunsichert, zerstört wurden?

Diejenigen, die heute entrüstet als Verfolger auftreten, forschen ja auch nach und wollen anderen Schlimmes. Entrüstung ist ein Impuls, der andere vernichten will.

Aber die speist sich doch aus einem selbst erlebten Leiden. Das macht für Sie keinen Unterschied?

Sobald einer sein Leid dazu benutzt, um sich anderen gegenüber das Recht anzumaßen, ihnen Schlimmes anzutun, war sein Leid für seine Seele umsonst.

Für mich gelingt das Aufarbeiten der Vergangenheit, wenn man sich neben die Opfer stellt und mit ihnen weint, ohne die Täter anzugreifen. Weinen ist demütig. Da wird niemand angegriffen. Das ist etwas völlig anderes, als zu sagen: »Was habt ihr da gemacht!« Für mich sind diese Vorwürfe eine Anmaßung, die nicht gerechtfertigt ist. Vor allem: sie bringt nichts.

Wie kann man Weinen gesellschaftlich organisieren?

Etwas in der Richtung war in meinem Erleben der Kniefall von Brandt in Polen. Das war eine Geste ohne jeden Anspruch, nur als Verneigung vor den Opfern. Davon geht bis heute etwas Heilendes aus. Aber diese Mahnungen: »Fallt ja nicht zurück!« haben genau die entgegengesetzte Wirkung. Sie machen die Seelen böse.

Das heißt, es gibt keine Möglichkeit, diskursiv mit der Vergangenheit umzugehen.

Nicht in der Weise des Anklagens und der Entrüstung. Ich habe gesehen, daß viele, die solche Erörterungen über die Vergangenheit verlangen, sich als die Besseren fühlen. Diesen Gefühlen mißtraue ich. Wenn ich Lösungen suche, damit das Schreckliche wirklich abschreckt, dann steht für mich im Vordergrund das Gedenken an die Opfer und das Sich-mit-Ihnen-Solidarisieren im Sinne der Trauer. Daraus kommt Kraft, die Gutes bewirkt. Aber bescheiden ohne großen Anspruch.

Das heißt im Grunde genommen, es gibt für Sie keinen angemessenen gesellschaftlichen, kollektiven Umgang mit Vergangenheit?

Es gibt schon einen, natürlich: Wenn man bescheidener wäre und sich auf das Trauern beschränken würde. Was mich immer tief beeindruckt, ist, wenn am Volkstrauertag nur gesagt wird: »Wir trauern, wir trauern, wir trauern.« Das ist gemäß. Da kann man mitfühlen. Ich unterstütze daher auch die Kriegsgräberfürsorge. Hier geschieht etwas ganz Schlichtes. Die Toten werden geehrt, wer immer sie sind.

Was wird aus den Tätern? Woher kommt dieses menschliche Bedürfnis, zu rächen? Diese Empörung, die einfach da ist?

Ich habe gesehen, die Empörung kommt in der Regel nicht von den Opfern, sondern von denen, die sich die Rechte der Opfer anmaßen. Ganz unlauter nehmen sie für sich in Anspruch, auf die Täter böse zu sein, ohne selber gelitten zu haben und, da sie sich ja eins mit der Mehrheit fühlen, auch ohne das Risiko, daß sie für das Schlimme, das sie den Tätern antun wollen, zur Rechenschaft gezogen werden. Es gibt hier also eine merkwürdige Übereinstimmung der Entrüsteten mit den Tätern, über die sie sich erheben. Denn die haben das gleiche gemacht: Sie haben sich für besser gehalten und aus diesem Gefühl heraus das Recht für sich in Anspruch genommen, andere anzugreifen und zu vernichten.

Die Demut

Woher kommt das Bedürfnis nach Rache? Es ist ja auch eine Art, mit der Empörung gegen Unrecht fertig zu werden?

Woher das kommt? Das frage ich mich auch. Dieses Bedürfnis ist ja gegen alle Vernunft.

Aber es ist ein ganz intensives Gefühl. Da wird ein Kind von einem Besoffenen überfahren oder diese Gemeinheit der Stasi-Spitzel oder des KZ-Aufsehers, der Häftlinge wie Hasen abschießt. Das löst doch Pein und berechtigte Empörung aus. Dieser spontane Impuls: »Der muß bestraft werden« oder wo man am liebsten zuschlagen würde oder denkt: »So ein Schwein, wie kann man so böse oder so unverantwortlich sein.« Das sind doch menschliche Gefühle?

Auf der Ebene von: »Da muß man doch was machen, das muß man rächen, das darf nicht mehr passieren« herrscht die Vorstellung, als hätten die Täter selbstbestimmt gehandelt. Also: Dieser Betrunkene hat das gemacht, oder Eichmann hat die Judenvernichtung organisiert. Ich gehe da auf eine andere Ebene. Ich sehe sie alle auf einer Ebene von Schicksal, das alle auf ihre Weise handeln, leiden und sterben läßt. Jeder ist ausgeliefert, und jeder dient. Dazu gehört aber, daß jeder dennoch auch die Folgen seines Handelns tragen muß.

Dieses ganze Welt-Verbessern, Umstürzen oder Reformieren geht von der Vorstellung aus: »Ich kann es, es ist in meine

Hand gegeben.« Es verliert die Haftung mit dem, was in der Tiefe wirkt, und das Ergebnis ist in der Regel schlimm.

Wenn ich mich aber zurücknehme und den tiefen Kräften traue, strahle ich etwas aus, was auf andere friedlich, mäßigend, versöhnend wirkt.

Ich bin ein Kind der Vorstellung: Wenn du dich anstrengst, kannst du erreichen, was du erreichen willst. Wenn wir alle aufpassen, wird unsere Umwelt sauber, wenn wir uns engagieren gegen gesellschaftliches Unrecht, wird das Zusammenleben besser und die Verhältnisse gerechter. Letztlich liegt es in unserer Hand. Wer sich nicht wehrt, lebt verkehrt. Liegt Ihnen dieses aufklärerische Denken ganz fern?

Das ist eine Vorstellung. Die Frage ist: Was bewirkt sie in der Praxis? Man könnte statt dessen lernen, genauer hinzuschauen, was unter welchen Umständen Gutes bewirkt. Dann finde ich etwas nicht schon deswegen gut, weil ich es für gut halte. Ich schaue auf die Wirkung nach einiger Zeit, und dann zeigt sich, wieviel es wert war und wieviel noch übrig ist von den damaligen Gefühlen. Das ist eine vorsichtige, empirische Methode. Sie wirkt aufklärend und mäßigend gegen die Anmaßung von Wünschen und Vorstellungen. Dann gehe ich nicht über die erfahrbare Wirklichkeit hinaus.

Aber wir wissen, daß Menschen in der Regel nur das erfahren, was sie erfahren wollen. Der Blick wird durch das eigene Denken bestimmt.

Genau. Deswegen bin ich bei denen, die sich für besser halten, auch so vorsichtig. Die enthusiastischen Bewegungen haben ein utopisches Ziel, das noch nicht an der Erfahrung bewährt ist. Das verengt den Blick, und das Ergebnis ist ernüchternd und traurig. Wenn Leute sich zu etwas Besonderem aufgerufen fühlen und das durchsetzen, passiert auf einer anderen Seite meist etwas Schlimmes. Man kann daher nicht überblik-

ken, was aus dem eigenen Engagement wird, außer, man ist
sehr zurückhaltend und gesammelt.

Was meinen Sie damit?

Nehmen Sie nur einmal die Hungerhilfe in Afrika. So hehr
das Ideal zu helfen war, das Ergebnis ist oft sehr bedrückend.

*Zu jedem Engagement gehört eine Art des Fokussierens auf einen
ganz bestimmten Gesichtspunkt im Leben. Da wird zwangsläufig
anderes ausgeblendet. Auch das Herausgehen aus seiner Mitte gehört
doch dazu. Wenigstens für eine gewisse Zeit - so ähnlich wie wenn
man sich verliebt. Ist das nicht auch eine besondere menschliche
Fähigkeit, sich so in ein Engagement zu stürzen?*

Es sind Jugendbewegungen, weitgehend. Sie laufen ungefähr
gleich ab von Generation zu Generation. Ich als Siebzigjäh-
riger schaue das daher mit einem anderen Blick an als einer,
der da mittendrin steckt. Man kann von mir nicht erwarten,
daß ich da begeistert mitgehe. Ich schaue es an und sehe:
Ähnliches war schon mal da, wird wahrscheinlich auf ähnliche
Weise im Vergessen verschwinden und kommt zum gemeinsamen Alten dazu.

Der Dienst

Diese Bewegungen meinen, man könne eine Idee auf Dauer
durchsetzen und wäre Herr des Handelns. Ich sehe sie dagegen als geschichtliche Bewegungen, in denen alle in den
Dienst genommen sind, im Guten wie im Bösen. Ich halte
diese Idee von Freiheit, die der einzelne bei seinem Tun zu
haben glaubt, für völlig illusionär. Niemand kann gegen die
allgemeine Bewegung der Geschichte angehen.

Ich sage, wir sind in Dienst genommen. Das ist etwas anderes. Die schlimmen Bewegungen sind in unserer Entwicklung mindestens genauso wichtig wie die guten. So wie die guten schlimme Wirkungen haben, haben auch die schlimmen gute, die wir nicht steuern können. Das liegt jenseits dessen, was der einzelne planen und durchsetzen kann.

Meine Grundhaltung ist: Ich stimme der Welt zu, wie sie ist. Ich unterscheide nicht, daß die eine Bewegung schlecht und die andere gut ist. Ich sehe beide eingebunden in einen übergreifenden Prozeß, dem ich mich füge. Mal bin ich Teil einer guten Bewegung, mal einer schlimmen. Ich weiß das oft gar nicht. Selbst wenn ich es wüßte: Es macht keinen Unterschied.

Sie stimmen auch diesem schrecklichen Geschehen zu, was durch die Nazis verursacht wurde? Was ist das für eine Art von Zustimmung?

Also wenn ich sage, ich stimme zu, dann liest jemand sofort heraus, daß ich das gutheiße. Das wäre schlimm. Zustimmung heißt hier für mich lediglich: Ich stimme den Bewegungen zu, wie sie sich geschichtlich ergeben, ohne daß ich mir anmaße, sie zu beurteilen.

Ich suche in diesen Bewegungen meinen Platz, mal gehe ich mit, mal ziehe ich mich zurück. Mich in dieser Weise der Welt zu stellen, das verstehe ich unter Demut. Dann bin ich sehr viel gesammelter und habe mehr Kraft, zu tun, was in meinem Bereich möglich ist. Ich gehe nicht darüber hinaus.

Wir reden auf einer gesellschaftspolitischen Ebene. Diese Art zu denken verunmöglicht jede Form von Politik.

Wer weiß. Es kommt auf die Wirkung an. Ich erzähle Ihnen ein Beispiel. In einem großen Heim für geistig Behinderte, verwaltet von einer Stiftung, habe ich den Leiter gefragt, wie die Stiftung zustande kam.

Er sagte: Vor 100 Jahren hatte ein Bauer schlecht gewirtschaftet und bekam einen Vormund. Der war Pietist und hat versucht, ihm aus seiner Misere zu helfen. Doch der Hof wurde versteigert. Der Vormund hat bei der Versteigerung den Hof auf den höchsten Preis getrieben und ihn dann selbst gekauft.

Am nächsten Sonntag kam der Prediger über den See, und der Vormund sagte zu ihm: »Ich habe einen Hof ersteigert, vielleicht könnten wir damit etwas für schwachsinnige Kinder tun« – so haben sie die damals genannt. Da sagte der Prediger: »Nein, nicht so schnell. Wir warten noch auf ein Zeichen.« Nach 14 Tagen kam er wieder und sagte: »Ich habe das Zeichen. Mir wurde ein schwachsinniges Kind anvertraut, für das ich sorgen muß. Jetzt machen wir was draus.«

Seit 100 Jahren besteht der Hof. Er ist zu einer angesehenen Anstalt für geistig Behinderte geworden und ist völlig integriert in dieser Gegend und Bevölkerung. Ohne Absicht und Planung sozusagen. Auch das ist Politik. Aber eine völlig einfache.

»Die Hoffnung auf ewigen Frieden lasse ich fallen«

Die Illusion der Macht

Sie sagen: Die Menschen werden in Dienst genommen und wissen das manchmal gar nicht. Wenn die Geschichte läuft, wie sie läuft, ist es in Ihren Augen eine menschliche Anmaßung, zu meinen, daß es eine Entwicklung zum Besseren hin geben könnte?

Natürlich gibt es Entwicklung, aber wir wissen nicht, wohin sie letztlich führt. Kinder starten mit Hoffnungen, Jugendliche engagieren sich, erreichen etwas und werden bald durch die Wirklichkeit gebremst und begrenzt. Wenn die Grenzen erkannt sind, ziehen sie sich vielleicht zurück auf eine gewisse Bescheidenheit. Junge Leute nennen das »spießig«. Ich sehe darin Zustimmung zur Welt, wie sie ist, und Versöhnung mit der Wirklichkeit.

Auch wenn jemand heiratet und Kinder hat, wird er eingeschränkt und merkt, daß seine Energie nicht unendlich reicht. Dann kommt er in Frieden mit der Welt, wie sie ist. Das hat für ihn eine wohltuende Wirkung. Aber seine Kinder fangen wieder von vorne an.

Sie sprechen jetzt eher auf der persönlichen, familiären Ebene. Gibt es für Sie auf der gesellschaftlichen Ebene so etwas wie Entwicklung, Lernen aus Erfahrungen?

Sicher gibt es das. Die deutsche Demokratie in ihrer heutigen Form kann ich mir ohne die Erfahrung des Dritten Reiches nicht vorstellen. So schlimm das alles war, für diejenigen, die es überlebt haben, hat es eine wohltuende Wirkung.

Das beantworten zu wollen, wäre für mich eine Anmaßung. Ich sehe es nur als eine Tatsache. Heraklit hat gesagt: »Der Krieg ist der Vater aller Dinge.« Da kann man ihm Vorwürfe machen. Aber die Frage ist: Hat er recht? Wenn ich sehe, daß wir um solche schlimmen Erfahrungen und Auseinandersetzungen nicht herumkommen, stimme ich ihnen zu. Die Hoffnung auf ewigen Frieden lasse ich fallen.

Ich sehe die Gegensätze auf einer höheren Ebene. Das sogenannte Gute und das sogenannte Böse wirken auf einer höheren Ebene zusammen. Krieg und Frieden wirken zusammen. Die eine politische Richtung und die andere wirken zusammen und bedingen sich gegenseitig. So gesehen leistet jede Bewegung, auch wenn wir sie verurteilen möchten, einen Beitrag zum Ganzen.

Das heißt für mich auch, daß die großen geschichtlichen Bewegungen unausweichlich sind. Die Nazibewegung und den Kommunismus, aber auch die Bewegung, die zur Wiedervereinigung Deutschlands geführt hat, betrachte ich als unausweichlich. Es gab keinen, der es in der Hand hatte, sie zu stoppen. Das sind Ausbrüche einer Macht, die größer ist als das Ich. Viele von denen, die an solchen Bewegungen beteiligt waren, hatten die Vorstellung, es sei in ihrer Macht gelegen, sie in Gang zu setzen und zu steuern. Und diejenigen, die sich dagegen stellten, hatten auch diese Vorstellung.

Ein Beispiel von heute: Viele haben die Vorstellung, einer hätte die Macht, die Welt durch die Atombomben zu zerstören. Andere, die dagegen protestieren, gehen auch davon aus, daß sie die Macht hätten, das zu stoppen. Das verkennt, welche Mächte in der Welt wirken. In beiden Fällen ist die Quelle des Handelns oder der Kraft ins eigene Ich verlegt. Das reicht nicht.

Der Protest und der Widerstand gegen so etwas ist für mich dennoch wichtig. Es muß ihn geben. Nur die Vorstellung, daß wir das Ergebnis in der Hand hätten, geht mir zu weit. Deshalb sehe ich die Betreiber wie die Gegner im gleichen Boot. Beide meinen, sie hätten es in der Hand, und beide sind vielleicht zur gleichen Gewalt bereit. Sie unterscheiden sich in der Gesinnung nicht voneinander. Nur im Inhalt.

Daß beide zur gleichen Gewalt bereit sind, das muß nicht immer so sein.

Es muß nicht immer so sein, aber ich sehe, daß es oft so ist. Die Nationalsozialisten waren zum Äußersten entschlossen. Und die Männer im Widerstand hatten erkannt, auch sie konnten nur mit Gewalt etwas ändern. Die einen waren im konkreten Vollzug nicht friedlicher gestimmt als die anderen. Wobei das natürlich angesichts der Verbrechen, die die Nationalsozialisten auf sich geladen hatten, verständlich war. Aber es ist eben nicht der Unterschied von friedlich und nicht friedlich. Es sind zwei Krieger, die gegeneinander kämpfen, und jeder muß den anderen vernichten, um sich mit seiner Sache durchzusetzen.

Finden Sie es nicht legitim, daß in solch extremen Situationen auch die friedlichsten Menschen bereit sind, zur Waffe zu greifen?

Das ist für mich keine Frage der Legitimität. Es gibt Situationen, in denen die Gewalt unausweichlich ist. Die Vorstellung, als könnte und dürfte man am Schreibtisch darüber entscheiden, was hier legitim ist und was nicht, halte ich für naiv.

Die Schuld

Das bedeutet aber: Was immer einer tut, alle sind in Dienst genommen?

Ja. Und was für mich ganz wichtig ist: Ohne Bereitschaft zur Schuld, gibt es keine Handlungsfähigkeit. Diejenigen, die unschuldig bleiben wollen, bleiben schwach. Durch ihr Bestreben, unschuldig sein zu wollen, bringen sie sogar zusätzliches Leid über andere.

Es spielt noch etwas anderes eine Rolle. Wenn ich mit Familien arbeite oder mit großen Gruppen – es ist auch eine Erfahrung aus meiner Zeit in Südafrika, wo ich lange erlebt habe, wie Schwarze und Weiße getrennt waren – kann ich sehen: Wenn jemand zu einer Gruppe gehört und die Gruppe kommt in höchste Gefahr, dann igeln sich die Leute in der einen Gruppe gegen die in der anderen Gruppe ein. Jede Gruppe entwickelt ein Binnengewissen, und danach ist alles das gut, was der eigenen Gruppe dient und der anderen schadet. Dann werden die schlimmen Taten gegenüber der anderen Gruppe mit bestem Gewissen begangen. Diese Art von Gewissen hat für mich etwas Unheimliches.

Die Frage ist, was kann jemand machen, wenn er in so einer Situation gefangen ist? Kann er aussteigen? Manche sagen, er müßte dann aussteigen. Doch wohin soll er gehen, wenn er seine Gruppe verläßt? Die andere Gruppe wird ihn nicht nehmen.

»Das Glück ist eine Leistung der Seele«

Wie ist es mit dem Glück? Existiert das überhaupt?

Glück gibt es innerhalb einer Lebensbewegung, z.B. in der ersten Liebe, in der Hoch-Zeit, oder bei der Geburt eines Kindes.

Jede Lebensphase hat ihre eigenen Gesetze und ihre eigene Erfüllung. Das wird häufig ausgeblendet. Nehmen wir das Kind im Mutterschoß. Es ist glücklich. Doch obwohl es glücklich ist, hält das Kind es nach neun Monaten nicht mehr aus. Wenn es Glück hat, findet es sich in den Armen der Mutter wieder. Es wird gesäugt, gepflegt, geherzt. Nach einiger Zeit hält es auch das allein nicht mehr aus: das Kind will laufen, weggehen.

Dann wird aus dem Kind ein Jugendlicher, voll im Aufbruch mit einem Gefühl der Freiheit. Auch das wird langweilig nach einiger Zeit. Dann kommt eine neue Phase: der Beruf, die Pflicht, Heirat, Kinder usw.

In vielen Kulturen ist dieses Weitergehen durch Riten geregelt, so daß jeder auf eine vorgegebene Weise vom Kind zum Jugendlichen und vom Jugendlichen zum Erwachsenen wird.

Diese Riten fallen bei uns weitgehend weg. Früher hat z.B. der Militärdienst für einen Jungen den Übergang von der Jugend ins Mannesalter markiert. Danach hat er geheiratet.

Meinen Sie, daß uns heute Übergangsrituale fehlen?

Ja. Ich bringe noch ein Beispiel. Wenn früher einer zu einem Meister in die Lehre ging, war das ein Übergang. Später

wurde er Meister, wieder ein Übergang. Das waren Weg-
marken. Heute gibt es noch Ähnliches, aber es wird nicht
mehr so empfunden.

Was ist verkehrt an unserem Bild des Glücks?

Unser Bild des Glücks ist meistens ein Bild vom Glück der
Jugend. Viele sehen die Jugend als eine privilegierte Zeit an,
die sie möglichst lange ausdehnen wollen. Was dadurch
versäumt wird, nehmen sie nicht wahr.

Was macht z.B. einer, der sich, sagen wir, mit 50 Jahren noch
wie ein Jüngling verhält? Der keine Familie hat und keine
Ahnung, was das bedeutet? Auf einmal wird er einsam und
merkt, er hat etwas Großes versäumt: das Weitergehen zur
rechten Zeit.

Ich sehe das Glück als etwas Vielschichtiges. Es ist kein
euphorischer Zustand, sondern geht eher mit dem Gefühl
einher: Ich bin richtig innerhalb der Entwicklungsphase, in
der ich gerade stehe. Ich bin ein richtiges Kind, ein richtiger
Jugendlicher, ein richtiger Mann, eine richtige Frau, ein
richtiger Vater, eine richtige Mutter. Ich bin in meinem Beruf
erfolgreich usw.

Und dazu gehört, daß ich mich zur rechten Zeit auch
zurückziehe. Auch das ist ein wichtiger Schritt, daß ich denen,
die nach mir kommen, Platz mache und mich dem Sterben
stelle.

Und was ist mit denen, die ein hartes Schicksal haben?

Wenn jemand hart in die Pflicht genommen ist, z.B. eine
Mutter mit einem behinderten Kind, dann sagen manche, das
ist ein Unglück für die Mutter und das Kind. Wenn sich die
Mutter dem aber stellt und wenn sich das Kind dem stellt,
erwächst ihnen daraus eine besondere Größe und Kraft. Das
ist mehr als das gewöhnliche Glück. Man muß sich nur mal

vorstellen, es gäbe nur glückliche Menschen. Was wäre das für eine Gesellschaft? Wieviel Kraft wäre da noch übrig? Und wieviel Größe?

Gibt es einen tieferen Sinn für die Leistung einer Mutter mit einem behinderten Kind?

Ich will das nicht deuten. Aber man braucht sich nur mal in der Nachbarschaft umzuschauen. Da ist eine Mutter mit einem behinderten Kind, und sie steht dazu und zieht es auf. Man kann spüren, es hat auf die ganze Umgebung eine heilende Wirkung. Es nimmt Illusionen weg. Es wirkt wie ein Kraftfeld, das ausstrahlt.

Haben Sie das so erlebt?

In der Therapie begegne ich ständig solchen Schicksalen. Ich sehe, wie diese Mütter und Väter damit umgehen. Davor verneige ich mich tief. Das ist eine Größe, die mir nicht erreichbar ist. Ich sehe das, und es wirkt auf mich heilend zurück.

Manche Leute sagen: Wir sind nicht hier, um glücklich zu sein. Was ist gefährlich am Glück?

Ich sehe nur, daß die sogenannten Glücklichen nicht am erfülltesten sind. Erfülltes Leben fühlt sich anders an.

Ein wirklich erfüllter Mensch strahlt ja etwas aus. Das wäre mein Begriff von Glück. Ich finde, von diesen glücklichen Menschen kann es auf der Welt nicht genügend geben, weil es ganz einfach auch die Gesamtatmosphäre des menschlichen Zusammenlebens verändert. Daran kann ich nichts Gefährliches entdecken. Aber es ist natürlich ein anderer Glücksbegriff als nur das Happy-Wellness-Sehnsuchts-Gefühl, mit dem wir täglich von den Medien übergossen werden.

171

Es gibt ein Glück der Kinder, die selbstvergessen spielen. Oder Verliebte sind glücklich. Das ist alles sehr schön. Aber Erfülltsein ist kein Glück in diesem Sinne. Es ist dieses Im-Einklang-Sein mit Großem, auch mit Leid oder mit Tod. Das gibt eine ganz tiefe Sammlung, gibt Gewicht und Gelassenheit. Das ist etwas ganz Stilles. Das ist Glück als Errungenschaft. Aber es ist nicht dieses Selbstvergessene. Es hat zu tun mit Kraft.

Leistung? Errungenschaft? Was meinen Sie damit?

Wenn jemand ein Haus gebaut hat und es ist schön geworden, oder wenn er schön Geige spielt oder ihm sonst etwas gelingt. Wir leben ja auch in unseren Werken. Auch Kinder sind eine Leistung der Eltern. Aber die Freude darüber ist anders, als wenn man sich im Wirtshaus freut.

Es hat etwas mit Selbstausdruck zu tun.

Ja, genau. Das Glück ist eine Leistung der Seele.

»Die Seele richtet sich nach anderen Gesetzen als dem Zeitgeist«

Über Mann und Frau

Manche sagen: »Hellingers Ordnung entspricht dem Zeitgeist, zurück zu den alten Werten. Sein Denken gehört zum ›Backlash‹, der die Fortschritte der Frauenbewegung und die Emanzipation der Frauen wieder rückgängig machen will.« Wie patriarchalisch ist Bert Hellingers Ordnungssystem?

Der Vorrang der Frau

Wenn ich von Ordnungen spreche, beschreibe ich, was sichtbar und nachprüfbar ist. Daher wehre ich mich dagegen, daß mir jemand diese Ordnungen zuschreibt, als wären es meine. Aber nun zu Ihrer Frage. Wenn man die Familien anschaut, kann man sehen: Das Hauptgewicht liegt bei der Frau, nicht beim Mann. Innerhalb der Familien übernehmen die Frauen in der Regel die Führung schon dadurch, daß sie sich meist für besser halten als der Mann. Das können sie aber nur, wenn sie sich ihrer Bedeutung bewußt sind.

Mit Bezug auf die Kinder hält man die Frau fast immer für kompetenter als den Mann. Man sieht das bei Scheidungen. Die Kinder werden fast automatisch der Frau übergeben, und der Mann geht leer aus. Seine Würde wird nicht beachtet. Bei unehelichen Kindern wurde der Mann bisher sowieso weitgehend ausgeklammert. Er hatte keine Rechte, nur Pflichten. Im engen Familienkreis herrscht also das Matriarchat. Da steht die Frau im Zentrum und bestimmt das Wesentliche.

Und wo beginnt für Sie das Patriarchat?

Es gibt die Vorherrschaft der Männer und eine Unterdrük-
kung der Frauen vor allem im öffentlichen Leben. Daß es
eine Gegenbewegung gibt, die der Frau ihre Würde auch in
der Öffentlichkeit zurückgibt, ist ohne Frage ein großer
Fortschritt. Die Vorherrschaft des Mannes in der Öffentlichkeit steht in einem gewissen Zusammenhang mit der Vorherrschaft der Frau in der Familie. Dadurch, daß die Frau in
der Familie herrscht, hat der Mann den Drang, nach außen
zu gehen und sich dort stärker durchzusetzen. Hier wirkt also
auch ein Bedürfnis nach Ausgleich.

Doch für mich ist die gegenseitige Anerkennung der Ge-
schlechter wichtig. Das Zentrum der Familie ist für mich die
Frau. Der Mann steht im Dienste des Weiblichen. Das
Weibliche hütet das Leben und gibt es weiter. Was der Mann
in der Öffentlichkeit macht, ist in der Regel im Dienst der
Familie. Er vertritt die Familie nach außen und sorgt für die
Grundlagen der Familie, z.B. für die Sicherheit und die
Ernährung. Darum hat er im äußeren Bereich einen gewissen
Vorrang.

Aber das ist doch heute nicht mehr überall so.

Nicht mehr in dem Ausmaß wie früher. Die Familien werden
kleiner, die Frau wird in der Familie nicht mehr so beansprucht wie früher. Die Kindererziehung wird heute eher zu
einer gemeinsamen Aufgabe, und die Frau kann mehr in die
Öffentlichkeit treten. Das ist die gesellschaftliche Entwicklung. Für mich ist sie weder ein Ideal noch etwas, was ich
bedaure. Sie hat sich so entwickelt, und ich erkenne sie an,
wie sie ist.

*Es wäre ja völlig legitim zu sagen: Ich sehe eine Ordnung, die über
die Jahrhunderte gewachsen ist, und ich kümmere mich darum, diese*

Ordnung ins Lot zu bringen, so, wie die Energie fließt. Daß es aus ihrer historischen Entwicklung heraus eine patriarchale ist, sehe ich zwar als Therapeut, aber ich nehme die Wirklichkeit so, wie sie ist, und ich will sie nicht verändern.

Also in diesem Bereich betrachte ich mich auch als gesellschaftspolitisch engagiert. Aber ich gewinne meine Einsichten vor allem im therapeutischen Bereich.

In den Familienaufstellungen ist es in der Regel so, daß der Mann den Vorrang hat. Aber nicht aus Überlegenheit, sondern in seiner Funktion, denn was in einer Gruppe zu den Grundlagen gehört, hat Vorrang vor den Zielen.

In einer Klinik etwa gehört die Verwaltung zu den Grundlagen, das Ziel ist die Heilung der Patienten. Die Verwaltung dient den Grundlagen, und die Ärzte und Krankenschwestern dienen den Zielen. Die Verwaltung hat Vorrang, weil sie für die Grundlagen sorgt. Sie ist nicht den Ärzten überlegen, aber im Vollzug muß die Verwaltung Vorrang haben. Die Ärzte können ihr da nicht dreinreden. Dennoch steht die Verwaltung im Dienst der Ärzte, obwohl sie Vorrang hat.

So ist es auch in der Familie: Der Mann hat Vorrang, weil er für die Grundlagen sorgt, aber von den Zielen der Familie her steht die Frau im Zentrum.

Was Sie beschreiben, trifft vielleicht zu für die Situation des alleinverdienenden Mannes und der Frau, die sich der Kindererziehung widmet. Das ist ja heute nicht mehr so. Nun könnte man sagen: Gut, aber in der Seele wirkt es immer noch, auch wenn es de facto nicht mehr so ist. Viele Frauen gehen heute arbeiten und machen die Familienarbeit dazu.

Ich will erstmal beim traditionellen Modell bleiben. Da kommt in der Regel zuerst der Mann, dann die Frau, dann die Kinder. Wenn es umgekehrt ist, wenn die Frau sich an die erste Stelle setzt und den Mann an die zweite – das macht sie z.B., wenn sie ihn verachtet – dann strebt der Mann aus der Familie hinaus, und er läßt die Frau alleine. Die Frau fühlt sich dann vom Mann verlassen.

Wenn ich dann in der Familienaufstellung den Mann wieder rechts neben die Frau stelle, an die erste Stelle, dann fühlt er sich in die Pflicht genommen, und die Frau fühlt sich entlastet und unterstützt.

Wenn ich jetzt sagen würde, der Mann muß die erste Stelle haben, weil er ein Mann ist, wäre das ein patriarchaler Standpunkt. Den lehne ich ab. Ich schaue, was sorgt am meisten für Harmonie und für das Gedeihen aller innerhalb einer Familie.

Ist es anders, wenn beide verdienen und nicht im traditionellen Modell leben?

Wenn beide Eltern verdienen, hat die Frau innerhalb der Familie in der Regel dennoch den Vorrang. Sie übernimmt die wichtigeren Aufgaben für das Binnenleben der Familie. Der Mann hilft ihr vielleicht dabei, aber es ist nicht so, daß die Rollen vertauscht werden könnten oder daß es eine Gleichheit gäbe. Die Ungleichheit wird zwar abgeschwächt, aber nicht aufgehoben.

Wenn der Mann nicht für die Familie sorgen kann, z.B. wenn er krank oder pflegebedürftig ist, dann tritt die Frau auch nach außen an die erste Stelle.

Die Achtung

Nun gibt es eine Bewegung bei gewissen Frauen, daß sie den Mann nur dazu benutzen, um Kinder zu kriegen, alles andere aber machen sie alleine. Also die freiwillig alleinerziehenden Mütter, die gar keinen Mann dabei haben wollen.

Das ist eine Verleugnung von Wirklichkeit und ein Verstoß gegen die Ordnung, für den sich die Kinder später oft an der Mutter rächen. Den Kindern wird ein Unrecht getan, wenn ihnen der Vater vorenthalten wird. Wenn die Mutter sagt: »Ich kann das alleine«, wird das Männliche damit verachtet und verdrängt. Aus solchen Familien kommen dann Jungen, die das Männliche in seiner verzerrten Form zur Geltung bringen, weil das andere bei ihrer Mutter keine Achtung gefunden hat. Rechtsradikales Verhalten ist oft eine Rache an der Anmaßung der Mütter, die meinten, sie könnten den Mann verachten oder verbannen.

Ich denke, die »Bewegung« von Müttern, die sagen: »Ich will ein Kind, aber keinen Mann«, ist verschwindend klein. Die meisten alleinerziehenden Mütter sind Alleinerziehende, weil sie irgendwann mit dem Vater nicht mehr leben konnten oder der Vater mit ihnen nicht.

Aber die Denkungsart ist auch in vielen anderen Familien spürbar.

Auch an diesem Punkt landen wir wieder bei den Frauen, diesmal bei der Verachtung der Frauen gegenüber den Männern. Die Frauenbewegung hat sich ja gegen die Verachtung des Weiblichen und der Frauen durch die Männer formiert. Es scheint also auf beiden Seiten der Geschlechter Verachtung zu geben? Wie erklären Sie sich diese von Ihnen beobachtete Verachtung der Frauen gegenüber den Männern?

Die doppelte Verschiebung

So wie ich mir auch die Verachtung der Frauen durch die Männer erkläre. Beides ist oft nur ein Ausgleich für früheres Unrecht. Manchmal kann man in Familien beobachten, daß später Geborene, z.B. Enkelinnen, das Unrecht ausgleichen

177

wollen, das ihren Großmüttern oder ihrer Mutter von Männern angetan wurde. Da sind Frauen sitzengelassen oder vom Mann ausgenutzt, geschlagen und mißachtet worden. Dafür gibt es ja schreckliche Beispiele.

Dann sagen die Enkelinnen: Das darf nie mehr passieren. Sie wollen es in Ordnung bringen, indem sie sich gegen die Männer formieren oder den eigenen Mann behandeln, als hätte er das gleiche mit ihnen gemacht. Sie verkennen dabei, daß sie sich damit über ihre Großmütter erheben, so als wären diese auf ihre Enkelinnen angewiesen. Auf diese Weise aber verachten sie sie.

Weil sie ihnen etwas abnehmen wollen, was ihnen nicht zusteht?

Genau. Die Wut oder die Aggression dieser Frauen nährt sich nicht aus eigener Erfahrung, sondern aus dem Unrecht, das anderen widerfahren ist. Sie bringen nicht ihr Eigenes in Ordnung.

Wenn z.B. einer Frau von ihrem Mann Unrecht getan wird und sie besteht darauf, notfalls auch aggressiv, daß er das in Ordnung bringt, dann steht sie zu ihrer Würde. Die Kraft dazu hat sie aus dem selbst erfahrenen Unrecht und Leid. Wenn sich die Aggression nicht aus dem eigenen erlittenen Unrecht nährt, dann hat sie auch nicht die Kraft, etwas in Ordnung zu bringen.

Wenn das Unrecht, das einer Frau zugefügt wurde, von anderen Frauen an anderen Männern gerächt wird, gibt es eine Verschiebung, nicht nur im Subjekt, z.B. von der Großmutter auf die Enkelin, sondern auch im Objekt, z.B. vom Großvater auf den eigenen Mann. Die Aggression richtet sich dann nicht gegen den Täter, sondern gegen irgendwelche Männer oder die Männer überhaupt. Dadurch wird nichts gelöst, sondern es löst eine Gegenbewegung aus und führt auf völlig unfruchtbare Weise zu einem Geschlechterkampf, bei dem alle verlieren.

Der Weg zur Lösung wäre, daß diese Frauen zuerst einmal ihren Großmüttern oder anderen verletzten Frauen ihre Würde zurückgeben. Z.B., indem sie sagen: »Ich verneige mich vor deinem Schicksal, so wie du es getragen und gemeistert hast. Und ich ziehe daraus die Kraft, selber etwas Großes und Gutes zu tun.« Dann brauchen sie die Großmutter nicht zu rächen. Sie bekommen Kraft von der Großmutter und können ihrer Würde als Frau gerecht werden, ohne andere herabzusetzen. Größe kommt nicht aus dem Verkleinern der anderen, sondern aus dem In-sich-Ruhen, das auch andere anerkennen kann.

Sie haben einmal gesagt: »Wir leben in einem weiblichen Zeitalter, die Männer sind auf dem Rückzug.«

Das ist etwas provokativ gesagt. Die Frauen sind auf gesunde Weise auf dem Vormarsch, ohne daß die Männer auf dem Rückzug sein müssen. Aber wenn Frauen die Männer bekämpfen, ziehen sich viele Männer lieber zurück. Diese Art von Rückzug ist kein Gewinn für die Frauen. Man gewinnt nun mal keinen Mann, indem man ihn bekämpft.

Also wenn Sie sagen, die Frauen verachten die Männer, ist das keine Schuldzuweisung, sondern Sie sehen das als eine familiengeschichtliche Verstrickung.

Als die Folge von früheren Schicksalen, die jetzt aufgegriffen werden. Einfach weil die Frauen jetzt auch größere Möglichkeiten haben. Ich halte diese Entwicklung, daß sich die Frauen in ihre Rechte hineingekämpft haben, für einen großen Fortschritt.

Was ist hier der therapeutische, was der gesellschaftspolitische Rahmen? Sie sagen nach wie vor, die Männer haben in der Familie den Vorrang. Was für eine Aussage ist das?

Diese Art allgemeiner Aussage ist mir fremd. Ich stelle da keine gesellschaftlichen Normen auf, sondern bleibe im therapeutischen Bereich, in dem die Wirkungen nachprüfbar sind. Wenn ich mit Familien arbeite, frage ich: Wo und wie fühlen sich alle in einer Familie am besten? Wenn der Mann vorne steht oder wenn die Frau vorne steht? Ich probiere es in den Aufstellungen aus. In 70 Prozent der Fälle fühlt sich die Familie wohler, wenn der Mann vorne steht, in 30 Prozent der Fälle, wenn die Frau vorne steht.

Spiegelt sich das historisch gewachsene patriarchale Leben darin wider? Und spielt die Sozialisation auch im Unbewußten eine Rolle?

Die Seele

Das ist mehr. Es wirkt darin auch die Seele. Die Seele richtet sich nicht nach gesellschaftspolitischen Forderungen. Wenn z.B. die Forderung erhoben wird: Die Frauen müssen an die erste Stelle, das Matriarchat muß auch in der Öffentlichkeit wiederhergestellt werden, mag das vernünftig klingen. Aber in den Seelen der Beteiligten wird es nicht anerkannt. Sie verhalten sich dennoch so, als ob etwas nicht in Ordnung wäre, und leiden darunter. Man kann die Seelen nicht von Ideologien überzeugen. Man kann auch nicht sagen, daß die tiefen seelischen Prozesse von der Sozialisierung abhängen. Wir sehen nur, die Seelen in unserer Kultur reagieren ungefähr gleich.

Aber das ist kulturbedingt.

Die Schlußfolgerung wäre, man brauche nur die Kultur zu ändern, dann ändert sich die Seele. Aber so ändert sie sich nicht. Selbst wenn die Öffentlichkeit plötzlich ganz anderer Meinung ist, reagieren die Seelen immer noch auf die alte Weise.

Sind Sie sich da so sicher?

Nach dem, was ich bisher gesehen habe, richtet sich die Seele nach anderen Gesetzen als dem Zeitgeist.

Können wir diese Gesetze kennen?

Für mich liegen sie im dunkeln. Wir sehen nur die Wirkungen. Ich würde eher auf das achten, was die Seelen wirklich bewegt, und auf dieser Grundlage nach Lösungen schauen. Die gibt es dann ohne Kampf, denn die Seele will ja nicht, daß die Mutter oder die Frau oder der Mann verachtet werden. Sie will, daß etwas in Ordnung kommt und auf wohltuende Weise zusammenwirkt.

Beim Lesen Ihrer Bücher ist auffallend, daß die Frauen eine viel größere Rolle bei der Lösung von Verstrickungen spielen als die Männer. Sie sagen nun, die Frauen halten sich in der Regel für besser als der Mann. Wie kommt das?

Das frage ich mich auch. Doch es stimmt: Der Schlüssel zur Lösung liegt häufiger bei der Frau als beim Mann. Das impliziert auch eine Anerkennung.
Mann und Frau sind nicht gleichgewichtig. Die Frauen haben in der Regel ein größeres Gewicht. Sie sind mehr zentriert. Auch steht der Mann eher im Dienste der Frau als umgekehrt. So wird es in den meisten Familien gelebt.

Sie sagen auch, Frauen fühlten in der Regel, sie seien besser als der Mann. Das Besserfühlen ist aber die Grundlage für Entwicklungen von Übel.

Einmal ist klar, daß die Frau durch ihre spezifischen Erfahrungen mit Schwangerschaft und Geburt ihre besondere Bedeutung wahrnimmt. Nicht im Sinne von Besserfühlen, sondern sie spürt ihre Bedeutung.

Der Mann hat diese tiefgehenden Erfahrungen nicht. Er sucht sie auf eine andere Weise. Der Mann muß sich immer wieder seiner Männlichkeit versichern, was die Frau weniger notwendig hat. Der Mann versichert sich seiner Männlichkeit meist in der Gesellschaft anderer Männer.

Der Mann ist anders als die Frau. Nicht, weil er das will, sondern weil es so vorgegeben ist. Es ist für die Frau oft schwer zu verstehen, daß der Mann so anders ist. Umgekehrt ist es für den Mann auch schwer, aber nicht im gleichen Maße wie für die Frau.

Das löst für mich nicht das Problem des Besserfühlens. Es ist ja etwas sehr Gewichtiges, wenn Sie sagen, daß die Frauen in der Familie in der Regel das Zepter in die Hand nehmen, schon deshalb, weil sie sich besser fühlen als der Mann.

Das Sich-Besserfühlen ist eine Entartung dieses Wissens um Bedeutung. Wenn die Frauen bei der Bedeutung bleiben, braucht es nicht diese Form des Sich-Besserfühlens anzunehmen.

Aber Sie sagen, daß sich die Frauen in der Regel besser fühlen.

Na gut, ich bin ja manchmal auch etwas unterhaltend.

Ich will das doch noch mal ernst nehmen. Die Frauenbewegung richtet sich ja gerade gegen die Verachtung des Weiblichen. Was bleibt denn den Opfern ungerechtfertigt ausgeübter Macht anderes, als sich besser zu fühlen?

Die Unterdrückung und Einengung der Frau über viele Jahrhunderte ist eine schlimme Sache. Ich kann sie mir erklären aus der Angst des Mannes vor dem Gewicht der Frau. Er sucht sich dagegen zu schützen, indem er die Frau dominiert oder domestiziert. Ich habe aber auch gesehen, daß das Männliche dem Weiblichen dient. Die Aufgabe jetzt wäre es, daß sich der Mann der Bedeutung des Weiblichen stellt, in diesem tiefen Sinne von Achtung. Dann wird man der Frau die gleichen Rechte und Chancen zugestehen, die der Mann für sich in Anspruch nimmt.

Dieses Stückchen Würde in der Öffentlichkeit haben sich die Frauen selber bitter erkämpft.

Ja, das stimmt. Andererseits haben Männer das über Einsicht auch gerne gegeben – vor allem in der Familie.

Wirklich? Allein wenn die Frauen nur arbeiten gehen und ihr eigenes Geld verdienen wollten, gab es und gibt es noch heute mancherorts heftige Widerstände der Männer.

Wenn die Frau Geld verdient und so viel verdient, daß sie alleine leben kann, ist ihr Gewicht noch einmal gewachsen. Der Mann erlebt das dann sehr leicht als Übergewicht, was es dann auch ist. Da braucht es eine neue Kultur des Umgangs miteinander.

Sie sagen, Frauen rächen sich für Unrecht, das nicht ihnen angetan wurde, sondern ihren Müttern oder Großmüttern. Das ist mir zu einseitig. Viele Frauen erleben heute vieles als Unrecht gegen sich als Frau: Die ungleiche Entlohnung etwa (78 Prozent der deutschen Frauen können allein ihren Unterhalt nicht bestreiten), daß sie oft mit Kindern ohne Geld allein dastehen usw. Man sagt nicht zu Unrecht: Die Armut ist weiblich – da gäbe es noch etliches andere aufzuzählen. Das ist doch kein fremd erlebtes Unrecht.

Das stimmt. Aber auf einer subtilen Ebene möchte ich auch fragen: Wie ehrt die Frau, die gegen dieses Unrecht kämpft, den Mann? Hat sie ihn überhaupt je geehrt? Hat sie ihm beispielsweise die Rechte als Vater zugestanden? Sehr oft macht das die Frau nicht. Es ist nicht nur das Verhalten des Mannes. Der Mann verhält sich so auch als Folge einer

Entwertung oder Ausgrenzung durch die Frau. Es ist wie ein Teufelskreis.

In jeder radikalen Bewegung bleibt vieles unbedacht. Ich denke, das gehört zu ihrem Wesen. Wenn ich Sie richtig verstehe, sagen Sie: Trotz aller Ungerechtigkeit kommt es darauf an, daß die Frauen das Männliche ehren. Gehört das für Sie zu einer neuen Kultur des Umgangs? Daß Männer und Frauen das jeweils andere Geschlecht zu ehren verstehen? Und daß Frauen mit dem Männlichen nicht alle Übel der Welt assoziieren?

Das haben Sie sehr schön gesagt.

»In Sorge für die nachwachsende Generation«

Über Engagement und Ausgleich

Sie sind Familientherapeut. Von daher liegt es nahe, daß Sie immer wieder auf Mutter, Vater, Kind kommen. Doch es klingt so, als würde ein Teil der Menschen ausgeschlossen. Diejenigen, die keine Kinder haben, keine Beziehung oder die in anderen Lebensgemeinschaften leben als der gängigen Ehe oder Familie. Diese Vielfältigkeit von Lebenswegen entspricht heute viel eher der Wirklichkeit. Es hört sich bei Ihnen manchmal so an, als sei eine Frau ohne Kinder unnatürlich.

Das Verlorene

Jahrhundertelang war es unausweichlich, daß eine Frau viele Kinder gebären mußte. In der Antike mußte jede Frau fünf Kinder gebären, damit das Überleben einer Stadt gewährleistet war. Das gehörte zum normalen Vollzug. Das Leben dieser Menschen können wir uns gar nicht mehr vorstellen – diese Nähe zu frühem Tod. Dennoch waren sie fröhlich und sinnenfreudig.

So viel Leben kann sich nur entfalten bei entsprechendem Tod. Wenn es so viel Tod nicht mehr gibt, kann es auch nicht so viel neues Leben mehr geben. Zynisch gesagt: Weil uns die großen medizinischen Errungenschaften vor dem frühen Tod bewahren, wird uns das andere Erfüllende genommen.

Heute ist es undenkbar, als Regel vier oder fünf Kinder zu haben. Insofern sind wir durch unsere Situation auf einen anderen Weg gewiesen: Viele Paare haben keine Kinder, und es gibt viele Singles. In unserer Situation ist das gemäß.

Das Seltsame ist: Viele, die den kinderlosen Weg gehen, meinen, sie hätten einen schöneren Weg für sich gewählt. Daß es aber ein notwendiger Weg ist, der durch die ganze Entwicklung vorgezeichnet ist, merken sie vielleicht nicht. Und noch etwas merken sie dann nicht: Daß sie, auch wenn sie sich gut dabei fühlen, von etwas Wichtigem ausgeschlossen sind.

Das meinen Sie jetzt bezogen auf kinderlose Frauen und Paare?

Früher war es für Frauen – aber auch für die Männer – eine Erfüllung, viele Kinder zu haben. Etwas anderes stand nicht zur Verfügung. Wenn heute eine Frau nur ein Kind hat, ist sie in der Familie nicht ausgefüllt. Wenn sie kein Kind hat, erst recht nicht. Sie sucht jetzt andere Betätigungsfelder, in denen sie sich entfaltet. Das ist gemäß. Nur, die tiefe Erfüllung, wie sie Frauen mit vielen Kindern haben, ist auf diese Weise nicht zu erreichen.

Rilke beschreibt das auf seine Weise. Die Natur geht uns verloren. Es geht der weite Raum verloren. Die Vielfalt geht verloren. Die Erde verarmt. Viel von dem, was einmal war, ist verschwunden und bleibt uns nur in der Erinnerung. Aber draußen ist es nicht mehr da. Die Trauer um diesen Verlust, gibt dem, was uns noch bleibt, etwas von dem verlorenen Reichtum und seiner Tiefe zurück.

Wenn eine Frau merkt, daß die erfüllte Mutterschaft für sie nicht möglich ist und sie das als Verlust erlebt und ihm dennoch zustimmt, dann gewinnt sie durch diese Trauer und den Verzicht etwas von der verlorenen Möglichkeit zurück. Es macht ihr anderes Tun reich. Wenn sie mit diesem Wissen um den Verlust einen Beruf ausübt, ist sie in ihm anders erfüllt, als wenn sie verächtlich sagt: »Ach, was sollen Kinder, Kirche,

Küche.« Oder wenn sie als Fortschritt ansieht, was doch zugleich Verlust ist.

Nicht, daß wir das ändern müßten oder könnten. Das geht nicht. Aber dieses Schauen auf das Verlorene, ihm im Herzen einen Platz geben, es erinnern und mit dieser Erinnerung sich dem stellen, was uns möglich ist – das hat Tiefe.

Was Sie im therapeutischen Rahmen in der Familienaufstellung machen, nämlich die ungewürdigten Gestorbenen wieder mit einzubeziehen, gibt es in gewisser Hinsicht also auch auf einer gesellschaftlichen Ebene?

Ich hab das so noch nicht betrachtet, aber ich stimme Ihnen zu. Es gibt eine Ganzheit unter Einbeziehung des Verlorenen, ohne daß es noch lebt oder zurückgeholt werden kann.

Das ist auch keine Nostalgie in dem Sinne: Früher war alles besser? Und es ist auch nicht die Negation des Vergangenen – nach dem Motto: Heute ist alles besser als früher.

Es ist ohne Überheblichkeit, ohne Nostalgie, aber auch ohne den Willen zur Restauration, so als könnte man das Alte wiederherstellen. Man kann Entwicklungen verlangsamen, man kann möglichst viel bewahren, aber sich vorzustellen, man könne das Ganze retten, ist für mich illusorisch.

Sie haben vorhin ein für mich in Ihrem Munde ungewöhnliches Wort verwendet: das Engagement. Und Sie sprachen vom Wirken auf Gutes hin. Es gibt also auch für Sie so etwas wie ein Engagement? Sie haben sich über die vielen Engagierten ja eher negativ geäußert, weil sie sich oft besser fühlen. Was ist Ihre Vorstellung von Engagement?

Die Sorge für die Nachwachsenden. Das ist eine dem Erwachsenen gemäße Sorge. Daß es zum Beispiel Kindern gutgeht, daß sie die Chancen haben, die sie für ihre Entwicklung brauchen.

Das betrifft nicht nur Eltern?

Nein. Jede Erfüllung kommt aus solcher Sorge. Auch in der Politik ist das Entscheidende die Sorge um die nachwachsende Generation. Diese Sorge ist ohne Hektik, ganz ruhig. Sie ist ein Ausgleich. Das heißt: Ich nehme, was ich von meinen Eltern bekommen habe, und ehre sie, indem ich es weitergebe und auf andere überfließen lasse.

Ich stelle mir z.B. nach einer therapeutischen Arbeit oft vor: Wie geht es den Kindern, wenn ihre Eltern bei mir waren? Vielen Kindern geht es besser. Das bewegt mich. Es ist aber kein Engagement in dem Sinne, daß ich etwas unternehme. Es ist wie ein ruhiges Mitschwingen, Aufnehmen und Weitergeben.

Man sieht das bei Großvätern, wenn sie mit ihren Enkeln beisammen sind. Das hat etwas Gelöstes. Sie geben weiter, was sie haben, ohne Anspruch. Das ist für mich ein schönes Bild, ein Altersbild.

Wer voll in der Mitte des Lebens steht, braucht das so noch nicht zu tun. Das wäre unsinnig. Aber es ist schön, anzuerkennen, daß man im Strom des Lebens steht, aus dem man kommt, an dem man teilhat und von dem man weitergibt.

Das wäre so etwas wie eine Ethik.

Na ja, wenn es nicht so gewöhnlich wäre. So etwas braucht man niemandem zu sagen. Mit der Ethik fordert man, sie muß erfüllt werden. Einem Großvater brauche ich nicht zu sagen, wie er mit den Enkeln umzugehen hat. Er weiß das. Wenn ich da eine Ethik aufstelle, stelle ich mich dem Strom des Lebens vielleicht sogar entgegen.

Schicksalswende

Sie sprechen so viel von der Hingabe ans Schicksal. In welchem Verhältnis steht das zum Engagement?

Schicksal ist etwas, was jemandem vorherbestimmt ist, ohne daß das genau definiert werden kann. Beim Engagement fühlt sich jemand zu etwas berufen.

Gibt es für jeden Menschen eine Bestimmung?

Bestimmung ist ein großes Wort. Ich sage lieber: Wir sind in Dienst genommen. Das hat mit einem Ziel zu tun, auf das jemand hinsteuert. Andererseits ist der einzelne durch die Umstände eingeengt, durch Krankheit, körperliche Konstitution, Land, Volk. Er entwickelt sich innerhalb dessen, was ihm vorgegeben ist. Wenn er den Grenzen zustimmt, gewinnt er daraus Kraft für ein erfülltes Leben.

Als Therapeut achte ich bei jedem darauf: Wohin führt sein Weg, in welche Richtung? Und wo sind seine Grenzen? Ich führe ihn dazu, diesen Grenzen zuzustimmen. Ich gebe keinen Raum für die Illusion, als könnten seine Träume Wirklichkeit werden.

Zum Schicksal gehört auch, den Folgen von eigenem Handeln und eigener Schuld zuzustimmen. Daß einer diese Partnerin hat, diesen Beruf, diese Kinder. Daß er durch eine geringe Lebenserwartung eingeschränkt ist, daß er hinarbeitet auf Scheitern und daß das vielleicht zu seinem Schicksal gehört. Das gibt es auch. Ich greife da nicht ein. Ich mache das gleiche, was er machen muß. Ich stimme diesem Schicksal zu. Gerade weil ich dem so zustimme, kann ich innerhalb der gesetzten Grenzen Wege finden, die hilfreich sind.

Gibt es keinen Eingriff, der schicksalswendend ist?

Natürlich. Was das Schicksal wendet, ist nicht gegen dieses Schicksal. Die Möglichkeit der Wende ist mit ihm manchmal geschenkt. Doch wenn ich sehe, daß die Zeit dafür nicht reif ist, unternehme ich nichts.

Das ist eher vormodern oder postmodern. Der moderne Mensch geht davon aus, daß er sein Leben in der Hand hat, daß er sein Schicksal selber bestimmt. Man sagt ja auch: Du kreierst dir dein Leben. Gibt es nicht im Rahmen dieses Schicksals auch so etwas wie eigene Kreation von Glück und Unglück?

Sicher gibt es das. Aber es gibt auch den anderen Weg des Mitgehens und Sich-Fügens. Wenn jemand merkt, er wird in Dienst genommen, und sich dem dann fügt, kommt er auf Wege, die er sich nicht ausdenken konnte. Das Ziel ist nicht deutlich, und die nächsten Schritte sind dunkel. Er schwingt zwar mit, weiß aber nicht genau, wohin es führt. Dann wird er in der Regel auf Größeres, viel Erfüllenderes geführt als jemand, der sich nur auf sich verläßt. Denn Machen schafft Widerstände.

Wenn Sie von Ordnungen reden, fällt mir auf, daß Sie immer wieder auf dieses »Sich-besser-fühlen-als-andere« zurückkommen. Diese Haltung scheint der Hauptgrund dafür zu sein, daß die Ordnung durcheinanderkommt. Gibt es noch ein anderes, ähnlich schwerwiegendes Tun?

Ja, aber im positiven Sinne. Wenn ich anerkenne: Alle haben das gleiche Recht auf Zugehörigkeit. Nicht als Postulat, sondern als eine Ordnung, die wirkt. Und: Jeder hat im Gesamtgefüge seinen besonderen Platz. Keiner ist besser oder schlechter, weil er anders ist.

»Seelenordnung« und Moral

Das ist eine ziemlich amoralische Seelenordnung.

Man kann auch sagen, es ist die höchste Moral.

Wenn ich amoralisch sage, meine ich: Früher wurde eine Frau mit einem unehelichen Kind ausgegrenzt, oder eine, die in »wilder Ehe« lebte oder ein homosexueller Mann. Man hat uneheliche Kinder verschwiegen — alles Verhaltensweisen, die der damals gängigen Moral entsprachen.

Diese Moral ist ein Hilfsmittel, um sich über andere zu erheben. Alle schlimmen Auseinandersetzungen kommen aus dieser Grundhaltung: Ich habe mehr Rechte als du, ich darf dich ausgrenzen — das sind Stufen der Vernichtung.

Mit amoralisch meine ich: Das ist ein Gefühl von Ordnung und Gleichheit, ganz unabhängig von der jeweilig herrschenden Moral der Gesellschaft.

Genau.

Das bedeutet aber auch, daß diese »Seelenordnung« die herrschende Moral durcheinanderbringen kann. Wenn ich beispielsweise an die rigiden Kontrollen auf dem Dorf oder an die enge Moral der 50er Jahre denke — es gibt gesellschaftliche, historische Situationen, die prädestinierter sind für diese Art der Ausgrenzung anderer.

Genau. Sobald daher eine Störung auftritt, eine Gruppe nicht mehr funktioniert, dann ist der erste Schritt, daß man schaut: Wo wurde jemand ausgegrenzt? Den holt man dann wieder herein.

Auch Sie haben eine bestimmte Vorstellung von dem, was gut ist. Auch wenn Sie sagen: Ich nehme die Welt so, wie sie ist. Wie vermeidet man es, sich besser zu fühlen? Was ist »gut« für Sie?

Das Kriterium für »gut« ist: Bringt es anderen eine Erleichterung oder eine Freude, oder lindert es eine Not. Ich sehe aber auch, daß es anderen oft besser geht, wenn ich mich zurückhalte, mich nicht in Fremdes einmische. Es geht also nicht nur um das gute Tun, sondern auch um das gute Lassen.

Es gibt viel öffentliche Diskussion über Ihre Arbeit. Wie gehen Sie mit den Angriffen auf Ihre Aussagen um?

Ganz einfach: Wenn jemand damit Gutes bewirkt, stimme ich dem zu.

Glossar

Abtreibung 96, 127/128
Adoption 136 ff.
Angst 110/111
Angst vor Hingabe 112
Angst und Tod 111
Angstfreie Erziehung 111
Annehmen und Nehmen 115
Anmaßung 29, 30
Ausgleich von Geben und Nehmen 50, 53, 56
Autorität 22, 122

Bedürfnis nach Rache 160
Bestimmung 60, 189
Bild vom Glück 170
Bindung 46, 149
Bindung und Beziehung 112
Bindung und Zugehörigkeit 46, 47
Bindungsgewissen 47

Depression 113
Dialektik 41
In den Dienst genommen sein 58, 61, 78, 162/163, 165
Drogensucht 73

Einfache Politik: Ein Beispiel 163/164
Im Einklang sein 21, 62, 63
Einklang und Vollzug 63
Einmischung 30

Eltern und Kinder 28/29, 31, 56, 61, 67, 71 ff., 94/95,
   113, 114/115
Die Eltern nehmen 115 ff.
Die Eltern würdigen 98/99, 114
Elternsein 30
Engagement 162
Entrüstung 35, 157 ff.
Entwicklung und Unausweichlickeit geschichtlicher
   Bewegungen 166 ff.
Erdung 122/123
Das Esoterische 66, 69/70

Familie und Therapie 97 ff.
Familienbild 20
Familienstellen 13, 14 ff., 37, 81 ff.
Folgen der Ordnung zumuten 96
Frauen haben größeres Gewicht 181
Frauenbewegung 177
Freiheit 42/43, 162
Freiheit und Ordnung 43, 93

Der »gerechte« Gott 52
Geschlechterkampf 178
Geschwisterliebe 33
Gewalt und Sexualität 146/147
Gewissen 16/17, 45 ff., 168
Gewissen und Körperhaltung 49
Gewissen und Über-Ich 49
Glauben 44
Glauben und menschliche Achtung 44
Glück 169 ff.
Glück und Erfüllung 171/172
Grundkräfte und Energie 133
Das Gute und das Gewissen 48

Handeln im Einklang 22, 23
Haß 110
Helfer 26, 74
Hilfe von gesehener Wirklichkeit 74
Himmel und Erde 79

»Ich folge dir nach« 27
Individualität und Familienstellen 89 ff.
Inzest 31, 33/34, 138 ff., 153/154

Jedes Kind handelt aus Liebe 72 ff.
Kinderlosigkeit 185/186

Leben und Tod 185
Liebe 38/39, 58/59
Liebe und Ausgleich 52/53, 54/55
Liebe und Bindung 24
»Lieber ich als du« 27, 28

Macht im Leiden 25, 73
Meditation und gewöhnlicher Vollzug 62/63, 64 ff.
Mit der Liebe gehen 105
Mit Liebe schauen 38 ff.
Moralische Therapieziele 105/106
Mord 17, 28, 121
Mutter und Inzest 140 ff.

Nationalsozialisten und Widerstandskämpfer 167
Neid 107
Neue Aufklärung 119 ff.

Ordnung und Moral 124
Ordnung und Raum 82 ff.
Ordnung und Raum: Beispiele 83 ff.
Ordnungen beachten bringt Gutes 93 ff.

Paarbeziehung und Ausgleich 50, 53, 54/55
Phänomenologie 35, 37 ff.

Rache 54
Raum 82/83
Recht auf Zugehörigkeit 17, 23, 28, 93
Religion 21, 59
Ritual und Familienstellen 22, 81 ff., 88 ff.
Rolle des Therapeuten 22, 35, 39

Die Sammlung und das Unbewußte 89/90
Schauen auf das Verlorene 186/187
Schicksal 95, 189/190
Schicksal und Fortschrittsglaube 134
Schicksal und Selbstbestimmung 189/190
Schmerz und Heilung 115 ff.
Schuld und Unschuld 45, 50, 71, 74, 168
Schuld als Verpflichtung 51
Schwierige Kinder 72 ff.
Seele 180/181
Seelenordnung und Moral 191
Das seelische Gewicht 67 ff., 130/131
Segen 20, 21, 25
Sein und Leben 78
Selbstverwirklichung 129
Sexualität 124, 145 ff.
Sexualität und Inzest 143/144
Sexualität und Sünde 153
Sexualität und Tod 145/146, 150
Sexualität und Verhütung 152, 154
Sich für besser halten 74/75
Sippengewissen 16 ff., 100
Sorge und Engagement 187/188
Spiritualität und Übung 80

Das Spirituelle 62, 69/70
Spiritueller Weg und Krankheit 68
Spirituelles Vergessen 30
Stärke der Familie 98
Studentenbewegung und Nazibewegung: Die
   »Besseren« 156 ff.
Sühne 26

Täter und Opfer 34/35, 158
Der Teil und das Ganze 88
Therapeut oder Seelsorger? 97/98, 134
Therapeutische Schulen 99, 101 ff.
Therapie als Versöhnung 97
Tiefe 82
Tod 39, 76 ff.
Die Toten ehren 76 ff.
Treue 25, 35, 124 ff.
Treue zur Familie 102
Treue in der Paarbeziehung 125/126
Trieb 151
Triumph und Erfolg 109/110
Trost und Würde 23

Über-Ich 49
Umgang mit der Vergangenheit 159
Unterbrochene Hinbewegung 102 ff., 117
Untreue 126

Vater und Inzest 143/144
Vatersein/Muttersein 61
Verachtung des Männlichen 177
Vergewaltiger 150
Vergewaltigung und Bindung 149
Vergewaltigung und Versöhnung 147/148

Verstoß gegen die Ordnung: Beispiel 94/95
Verstrickung 13, 15, 45 ff., 48
Verzicht auf Ausgleich 57
Vollzug 62/63
Vorrang 95
Vorrang der Frau 173
Vorrang des Mannes 175

Warum Familie krank und gesund macht 27, 99, 100
Was stärkt, was schwächt den Klienten? 131 ff.
Weibliche Lust 154
Weisheit 80
Wieviel Wissen braucht der Therapeut? 89 ff.
Wut 107/108

Veröffentlichungen
von und über Bert Hellinger

Grundlagen

**Zweierlei Glück. Die systemische Psychotherapie
Bert Hellingers**
Herausgegeben von Gunthard Weber 1993
13., überarb. Auflage 2000. 338 Seiten.
ISBN 3-89670-005-7. Carl-Auer-Systeme Verlag
In lebendigem Wechsel von Vorträgen, Fallbeispielen und Geschichten führt Gunthard Weber umfassend in die Denk- und Vorgehensweisen Bert Hellingers ein. Das übersichtlich gegliederte Buch beschäftigt sich ausführlich mit den verschiedenen Aspekten von Beziehungen, mit den »Bedingungen für das Gelingen«, dem »Gewissen als Gleichgewichtssinn in Beziehungen«, den Beziehungen zwischen Eltern und Kindern« sowie den Paarbeziehungen, den systemischen Verstrickungen und ihren Lösungen und abschließend mit der Praxis systembezogener Psychotherapie.

Ordnungen der Liebe. Ein Kursbuch 1994
6., überarb. und ergänzte Auflage 2000. 528 Seiten.
ISBN 3-89670-000-6. Carl-Auer-Systeme Verlag
Dies ist ein Kursbuch in mehrfachem Sinn. Erstens werden ausgewählte therapeutische Kurse wortgetreu wiedergegeben. So kann der Leser am Ringen um Lösungen teilnehmen, als wäre er selbst mit dabei. Zweitens werden Hellingers therapeutische Vorgehensweisen ausführlich dargestellt und erläutert, vor allem seine besondere Art, Familien zu stellen. Drittens nimmt Hellinger den Leser auf den Erkenntnisweg mit, der zum Erfassen der hier beschriebenen Ordnungen führt. Abschließend erläutert Hellinger in einem längeren Interview seine Einsichten und Vorgehensweisen.

Die Quelle braucht nicht nach dem Weg zu fragen. Ein Nachlesebuch

Erscheint im Frühjahr 2001. 400 Seiten.

ISBN 3-89670-183-5. Carl-Auer-Systeme Verlag

Die in diesem Buch gesammelten Aussagen wurden ursprünglich in Kursen über das Familien-Stellen als Einleitungen gesprochen oder als Zwischenerklärungen oder als Zusammenfassungen zu dem, was vorangegangen war, oder auch als Antworten auf Fragen und einige in Interviews. Alle diese Aussagen haben ein Umfeld. Der Kontext färbt auf sie ab und macht sie lebendig. Sie behandeln ein Thema nicht vollständig, sondern bringen es auf den Punkt, der es dem Hörer und Leser ermöglicht, entsprechend zu handeln. In diesem Buch wurden sie übersichtlich nach Themen geordnet.

Anerkennen, was ist. Gespräche über Verstrickung und Lösung

Zusammen mit Gabriele ten Hövel 1996

11. Auflage 2000. 220 Seiten. ISBN 3-466-30400-8. Kösel-Verlag

In dichten Gesprächen mit der Journalistin Gabriele ten Hövel gibt Hellinger Einblick in die Hintergründe seines Denkens und Tuns. Und er zeigt, wie über die Anerkennung der Wirklichkeit auch in schwierigen Fragen die Verständigung gefunden und ein Ausgleich erreicht werden kann. Ein Glossar macht den Inhalt über zahlreiche Stichworte zugänglich.

Die Mitte fühlt sich leicht an. Vorträge und Geschichten 1996

7., erweiterte Auflage 2000. 255 Seiten.

ISBN 3-466-30460-1. Kösel-Verlag

Hellingers grundlegende Vorträge und Geschichten sind hier gesammelt vorgestellt. Sie kreisen um die gleiche Mitte, eine verborgene Ordnung, nach der Beziehungen gelingen oder scheitern.

Diese Vorträge und Geschichten sind auch auf CD und Video erhältlich, ebenso wie die folgenden Videos, CDs und Audiokassetten: alle im

Carl-Auer-Systeme Verlag, Weberstraße 2, D-69120 Heidelberg, Fax: 06221/64 38 22, E-Mail: info@carl-auer.de

CD-Paket 1 (2 CDs) bzw. Video 1
Schuld und Unschuld in Beziehungen (Vortrag)
Geschichten, die zu denken geben
141 Minuten
ISBN 3-931574-48-2 (CD)
ISBN 3-931574-54-7 (Video)

CD-Paket 2 (2 CDs) bzw. Video 2
Die Grenzen des Gewissens (Vortrag)
Geschichten, die wenden
135 Minuten
ISBN 3-931574-49-0 (CD)
ISBN 3-931574-55-5 (Video)

CD-Paket 3 (3 CDs) bzw. Video 3
Ordnungen der Liebe (Vortrag)
Geschichten vom Glück
206 Minuten
ISBN 3-931574-50-4 (CD)
ISBN 3-931574-56-3 (Video)

CD-Paket 4 (2 CDs) bzw. Video 4
Leib und Seele, Leben und Tod (Vortrag)
Psychotherapie und Religion (Vortrag)
120 Minuten
ISBN 3-89670-066-9 (CD)
ISBN 3-89670-067-7 (Video)

Finden, was wirkt. Therapeutische Briefe 1993
Erweiterte Neuauflage. 10. Auflage 2000. 214 Seiten.
ISBN 3-466-30389-3. Kösel-Verlag
Diese Briefe geben knapp und verdichtet – meist unter 20 Zeilen!
– Antwort auf Fragen von Menschen in Not und zeigen, oft
überraschend und einfach, die heilende Lösung. Sie lesen sich wie
kleine Geschichten, denn jeder Brief erzählt verschlüsselt ein
Schicksal. Es geht um die Themen »Mann und Frau«, »Eltern und

Kinder«, «Leib und Seele«, den »tragenden Grund« und »Abschied und Ende«.

Religion – Psychotherapie – Seelsorge. Gesammelte Texte
2000
232 Seiten. ISBN 3-466-30526-8. Kösel-Verlag
Daß eine Familie durch eine gemeinsame Seele verbunden, aber auch gesteuert wird, hat Bert Hellinger schon in vielen Publikationen dokumentiert. Seine Methode des Familien-Stellens hat gezeigt, daß wir in größere Zusammenhänge eingebunden sind, die unser Leben unabhängig von unseren Ängsten und Wünschen beeinflussen. Die tiefgreifenden Auswirkungen des Holocaust in den nachfolgenden Generationen sind nur ein Beleg dafür.
Diese Erfahrungen gehen weit über unsere traditionellen Gottesbilder und religiösen Haltungen hinaus. Auch die bisherige Seelsorge wird solchen Erkenntnissen nicht mehr gerecht. Hellinger nähert sich diesen religiösen Fragen deshalb auf eine neue Weise.

Verdichtetes. Sinnsprüche – Kleine Geschichten – Sätze der Kraft 1995
5. Auflage 2000. 109 Seiten. ISBN 3-89670-001-4.
Carl-Auer-Systeme Verlag
Die hier gesammelten Sprüche und kleinen Geschichten sind während der therapeutischen Arbeit entstanden. Sie sind nach Themen geordnet: »Wahrnehmen, was ist«, »Die größere Kraft«, »Gut und Böse«, »Mann und Frau«, »Helfen und Heilen«, »Leben und Tod«. Ihr ursprünglicher Anlaß scheint manchmal noch durch, doch reichen sie weit darüber hinaus. Gewohntes Denken wird erschüttert, verborgene Ordnungen kommen ans Licht.
In den Sätzen der Kraft verdichtet sich heilendes Sagen und Tun. Sie bringen eine Lösung in Gang, wenn jemand in ein fremdes Schicksal verstrickt ist oder in persönliche Schuld, und machen für Kommendes frei.

Einsicht durch Verzicht. Der phänomenologische Erkenntnisweg in der Psychotherapie am Beispiel des Familien-Stellens (Vortrag)

Audio-Kassette 1999. 57 Minuten.

ISBN 3-89670-164-9. Carl-Auer-Systeme Verlag

Auf dem phänomenologischen Erkenntnisweg setzt man sich der Vielfalt von Erscheinungen aus, ohne zwischen ihnen zu wählen oder zu werten. Die Aufmerksamkeit ist dabei zugleich gerichtet und ungerichtet, gesammelt und leer. Auf diese Weise gewinnt der Therapeut beim Familien-Stellen die Einsichten über das bisher Verborgene und findet die Wege, die aus Verstrickungen lösen. Worauf er dabei zu achten hat, zeigt dieser Vortrag.

Vom Himmel, der krank macht, und der Erde, die heilt (Vortrag)

Leiden ist leichter als lösen (Vortrag)

2 Audio-Kassetten. 1995/1993. Je 60 Minuten.

ISBN 3-89670-047-2. Carl-Auer-Systeme Verlag

Der Vortrag »Vom Himmel, der krank macht, und der Erde, die heilt« beschreibt die grundlegenden Dynamiken, die in Familien zu schweren Krankheiten führen oder zu Unfällen und Selbstmord, und zeigt, was solche Schicksale manchmal noch wendet (ähnlich dem Vortrag »Ordnung und Krankheit«). Auch im Buch »Ordnungen der Liebe«.

»Leiden ist leichter als lösen« ist ein Radiointerview mit Gabriele ten Hövel. Der Text findet sich auch im Buch »Anerkennen, was ist«.

Re-Viewing Assumptions. Eine Debatte mit Anne Ancelin Schützenberger, Bert Hellinger und Rupert Sheldrake über Phänomene, die unsere Weltsicht in Frage stellen

1 VHS-Kassette 2000. ca. 70 Minuten.

ISBN 3-89670-161-4. Carl-Auer-Systeme Verlag

Dieses Video dokumentiert den Aufbruch in neue, vielversprechende Felder des therapeutischen, philosophischen und spirituellen Dialogs.

Paartherapie

Wie Liebe gelingt. Die Paartherapie Bert Hellingers
Herausgegeben von Johannes Neuhauser 1999
2. Auflage 2000. 360 Seiten.
ISBN 3-89670-105-3. Carl-Auer-Systeme Verlag
Dieses Buch dokumentiert Bert Hellingers zwanzigjährige Erfahrung in der Arbeit mit Paaren. Die vielen Beispiele aus Hellingers Gruppen- bzw. Rundenarbeit und seinen Paar- bzw. Familienaufstellungen sind lebensnah und lösungsorientiert.
Im Zentrum der ausführlichen Erläuterungen und der Gespräche mit Hellinger steht der Lebenszyklus in Paarbeziehungen: das erste Verliebtsein, die Bindung, gemeinsame Elternschaft oder Kinderlosigkeit, schmerzhafte Paarkrisen, das Scheitern der Beziehung und die klare Trennung, das gemeinsame Altwerden und der Tod. Der Herausgeber Johannes Neuhauser hat für dieses Buch seit 1995 Hunderte von Paartherapien Hellingers aufgezeichnet und ausgewertet.

Wie Liebe gelingt. Die Paartherapie Bert Hellingers
5 VHS-Kassetten 1999. 12 ½ Stunden.
ISBN 3-89670-087-1. Carl-Auer-Systeme Verlag
Dieses Video dokumentiert Bert Hellingers Rundenarbeit und das Familien-Stellen mit 15 Paaren in einer Kleingruppe. Es zeigt zum ersten Mal, wie Hellinger vor und nach dem Familien-Stellen mit den Paaren arbeitet, zum ersten Mal kann man ihm sozusagen über die Schulter schauen und die vielschichtigen Interventionen beobachten.

Wir gehen nach vorne. Ein Kurs für Paare in Krisen 2000
288 Seiten. ISBN 3-89670-103-7. Carl-Auer-Systeme Verlag
Wenn Partner in ihrer Beziehung leiden, obwohl sie einander lieben, dann bleiben ihre Appelle an den gegenseitigen guten Willen und ihre Anstrengungen oft vergebens. Denn Krisen in Paarbeziehungen haben oft mit Verstrickungen in der Herkunftsfamilie zu tun. Dieses Buch zeigt, wie man die eigentlichen Hintergründe ans Licht bringt und wie überraschend leicht Lösungen fallen, wenn sie bewußt sind.

Wir gehen nach vorne. Ein Kurs für Paare in Krisen
Video-Edition. 3 Videos. ca. 9 ½ Stunden.
ISBN 3-89670-175-4. Carl-Auer-Systeme Verlag
Das Video zum gleichnamigen Buch.

Kurztherapien

Mitte und Maß. Kurztherapien 1999
2. Auflage 2000. 280 Seiten.
ISBN 3-89670-130-4. Carl-Auer-Systeme Verlag
Den in diesem Buch erstmals dokumentierten 63 Kurztherapien ist
gemeinsam, daß sich die Lösungen unmittelbar aus dem Geschehen
ergeben und daher jedesmal anders und einmalig sind. Dazwischen
gibt Hellinger weiterführende Hinweise, zum Beispiel über die
Trauer, die Toten, die Hintergründe von schwerer Krankheit oder
von Selbstmord, und er beschreibt den Erkenntnisweg, der zur
Vielfalt der hier dokumentierten Lösungen führt.
Man kann diese Kurztherapien lesen wie Kurzgeschichten, manchmal aufwühlend, manchmal erheiternd, manchmal voller Dramatik
und dann wieder besinnlich und still.

Was in Familien krank macht und heilt

**Wo Ohnmacht Frieden stiftet. Familien-Stellen mit Opfern
von Trauma, Schicksal und Schuld** 2000
270 Seiten. ISBN 3-89670-111-8. Carl-Auer-Systeme Verlag
In diesem Buch wird an vielen Beispielen beschrieben, wie Opfern
von Trauma, Schicksal und Schuld geholfen werden kann, sich
ihrem Schicksal zu stellen und aus der Zustimmung zu ihren
Grenzen ihre Würde zu wahren und Frieden zu finden. Dabei
werden auch Vorgehensweisen dokumentiert, die über die bisheri-
gen Methoden des Familien-Stellens hinausführen.

Wo Ohnmacht Frieden stiftet. Familien-Stellen mit Opfern von Trauma und Schicksal

3 VHS-Kassetten. 2000. 6 ½ Stunden.
ISBN 3-89670-082-0. Carl-Auer-Systeme Verlag
Das Video zum gleichnamigen Buch.

Was in Familien krank macht und heilt. Ein Kurs für Betroffene 2000

2. Auflage 2000. 288 Seiten.
ISBN 3-89670-123-1. Carl-Auer-Systeme Verlag
Dieses Buch führt die bereits veröffentlichten Dokumentationen über das Familien-Stellen mit Kranken in wesentlichen Punkten weiter. Es vermittelt vertiefte Einsichten in die familiengeschichtlichen Hintergründe von schwerer Krankheit und Selbstmordgefährdung und dokumentiert das Familien-Stellen in neuen Zusammenhängen wie Sucht, religiöser Verstrickung, Trauma und tragischen Schicksalsschlägen.

Was in Familien krank macht und heilt. Ein Kurs für Betroffene

3 VHS-Kassetten. 1999. 9 ½ Stunden.
ISBN 3-89670-160-6. Carl-Auer-Systeme Verlag
Das Video zum gleichnamigen Buch.

Wo Schicksal wirkt und Demut heilt. Ein Kurs für Kranke 1998

310 Seiten. ISBN 3-89670-029-4. Carl-Auer-Systeme Verlag
Dieses Buch dokumentiert das Familien-Stellen mit Kranken und die familiengeschichtlichen Hintergründe von schwerer Krankheit, von Unfällen und Selbstmord. Bert Hellinger erklärt ausführlich die einzelnen Schritte und vermittelt dadurch auch eine umfassende Einführung in das Familien-Stellen. Darüber hinaus enthält dieses Buch zahlreiche Beispiele von Kurztherapien.

Wo Schicksal wirkt und Demut heilt. Familien-Stellen mit Kranken

3 VHS-Kassetten. 1998. 9 ½ Stunden.
ISBN 3-89670-060-X. Carl-Auer-Systeme Verlag
Das Video zum gleichnamigen Buch.

Schicksalsbindungen bei Krebs. Ein Kurs für Betroffene, ihre Angehörigen und Therapeuten 1997
2. Auflage 1998. 202 Seiten.
ISBN 3-89670-008-1. Carl-Auer-Systeme Verlag
Dieses Buch dokumentiert am Beispiel von Krebs, wie Schicksalsbindungen in der Familie schwere Krankheiten mitbedingen und aufrechterhalten. Und es zeigt, wie die Liebe, die krank macht, sich löst in Liebe, die heilt.

Bert Hellinger arbeitet mit Krebskranken. Ein Kurs für Betroffene, ihre Angehörigen und Therapeuten
2 VHS-Kassetten. 7 ½ Stunden.
ISBN 3-89670-007-3. Carl-Auer-Systeme Verlag
Das Video zum Buch »Schickalsbindungen bei Krebs«.

Die größere Kraft. Bewegungen der Seele bei Krebs
Herausgegeben von Michaela Kaden
Erscheint im Frühjahr 2001. 220 Seiten.
ISBN 3-89670-181-9. Carl-Auer-Systeme Verlag
Dieses Buch dokumentiert einen Kurs für Krebskranke in Salzburg. Es führt die Einsichten über die familiengeschichtlichen Hintergründe bei Krebs weiter. Es achtet noch genauer auf die Bewegungen der Seele, die auf der einen Seite die Krankheit aufrechterhalten und auf der anderen Seite die Hinwendung zum Leben ermöglichen.

Familien-Stellen mit Kranken. Dokumentation eines Kurses für Kranke, begleitende Psychotherapeuten und Ärzte 1995
3., erweiterte u. überarb. Auflage 1998. 339 Seiten.
ISBN 3-89670-018-9. Carl-Auer-Systeme Verlag
Ein praxisnaher Einführungskurs in das Familien-Stellen mit Kranken und in die familiengeschichtlichen Hintergründe von chronischer und lebensbedrohender Krankheit. Im Anhang finden sich Rückmeldungen und Ergänzungen ein Jahr nach dem Kurs.

Familien-Stellen mit Kranken. Ein Kurs für Kranke, begleitende Psychotherapeuten und Ärzte

3 VHS-Kassetten. 1995. 10 Stunden.

ISBN 3-927809-55-1. Carl-Auer-Systeme Verlag

Das Video zum gleichnamigen Buch.

Familienstellen mit Psychosekranken. Ein Kurs mit Bert Hellinger

Herausgegeben von Robert Langlotz 1998

232 Seiten. ISBN 3-89670-101-0. Carl-Auer-Systeme Verlag

Dieses Buch dokumentiert Bert Hellingers therapeutische Arbeit – vor allem das Familien-Stellen – in einem Kurs mit 25 Psychosekranken. Robert Langlotz hat viele Patienten nachbefragt und die Ergebnisse kommentiert in diesen Band aufgenommen. Er faßt die Verstrickungen, Verwirrungen und Loyalitätskonflikte zusammen, die durch die Aufstellungen der Psychosekranken sichtbar werden. Dieser erste Erfahrungsbericht läßt neue Sichtweisen, psychotisches Verhalten zu verstehen, aufleuchten und macht Mut, das Familien-Stellen als diagnostisches und therapeutisches Instrument in der stationären und ambulanten Psychotherapie anzuwenden.

Ordnung und Krankheit. Vortrag und therapeutisches Werkstattgespräch 1994 (Video)

130 Minuten. ISBN 3-931574-74-1. Carl-Auer-Systeme Verlag

Der Vortrag »Ordnung und Krankheit« beschreibt, was in Familien zu schweren Krankheiten, Unfällen und Selbstmord führt und was solche Schicksale wendet.

Im therapeutischen Werkstattgespräch erläutert Hellinger anhand von dreißig Fragen seine Psychotherapie und erzählt aus der Praxis seiner Arbeit. Die Fragen stellt Johannes Neuhauser.

Das besondere Thema

Der Abschied. Nachkommen von Tätern und Opfern stellen ihre Familie 1998
2., erweiterte Auflage 2001. 380 Seiten.
ISBN 3-89670-092-8. Carl-Auer-Systeme Verlag
Wie Schuld und Schicksal von Tätern und Opfern des Nationalsozialismus auf deren Nachkommen wirken, dem ist Hellinger seit Jahren in seinen Kursen für Kranke begegnet. Mit den Kranken mußte er sich den Tätern und Opfern in ihren Familien stellen und versuchen, im Einklang mit ihnen das Leid für ihre Nachkommen zu mildern und vielleicht zu beenden. Dieses Buch dokumentiert diese Versuche. Dabei kommen sowohl die Überlebenden und die Nachkommen zu Wort als auch die Schuldigen und die Toten. Wenn sie geachtet sind, ziehen sie sich still zurück, und die Lebenden ziehen frei über die Grenze, die sie von den Toten noch trennt.

Das Überleben überleben. Nachkommen von Überlebenden des Holocaust stellen ihre Familie
VHS-Kassette. 2 ¼ Stunden. 1998.
ISBN 3-89670-074-X. Carl-Auer-Systeme Verlag
Ein Video zum Buch »Der Abschied«.

Die Toten. Was Opfer und Täter versöhnt
1 VHS-Kassette. 1999. 60 Minuten.
ISBN 3-89670-163-0. Carl-Auer-Systeme Verlag
Dieses Video dokumentiert die wohl bewegendste Aufstellung Bert Hellingers mit einem Überlebenden des Holocaust. Sie bringt auf erschütternde Weise ans Licht, daß die Opfer und ihre Mörder ihr Sterben erst vollenden, wenn sie beide einander als Tote begegnen. Und wenn sich beide im Zustand, der alle Unterschiede aufhebt, einem gemeinsamen übermächtigen Schicksal ausgeliefert erfahren, das jenseits aller menschlicher Unschuld und Schuld über sie verfügt und sie jetzt im Tod geläutert in Liebe eint und versöhnt.
Ein Video zum Buch »Der Abschied«.

Systemische Lösungen nach Bert Hellinger

Haltet mich, daß ich am Leben bleibe. Lösungen für Adoptierte 1998
240 Seiten. ISBN 3-89670-92-8. Carl-Auer-Systeme Verlag
Der hier dokumentierte Kurs für erwachsene Adoptierte zeigt, wie die Bindung des Kindes an seine leiblichen Eltern weiterwirkt. Es zeigt aber auch, wie diese Bindung auf eine Weise gelöst werden kann, die es dem Adoptivkind ermöglicht, sich seinen neuen Eltern zuzuwenden und von ihnen den Halt und die Liebe zu nehmen, die sie ihm schenken.

Haltet mich, daß ich am Leben bleibe. Lösungen für Adoptierte
2 VHS-Kassetten. 1997. 7 Stunden.
ISBN 3-89679-061-8. Carl-Auer-Systeme Verlag
Das Video zum gleichnamigen Buch.

In der Seele an die Liebe rühren. Familien-Stellen mit Eltern und Pflegeeltern von behinderten Kindern 1998
120 Seiten. ISBN 3-89670-093-6. Carl-Auer-Systeme Verlag
Eltern, die ein behindertes Kind haben, und Pflegeeltern, die ein solches Kind aufnehmen, werden vom Schicksal dieser Kinder auf eine besondere Weise in Dienst genommen. Wie ihre Liebe an diesem Schicksal und dieser Aufgabe wächst, wird uns in diesem Buch bewegend vor Augen geführt.

In der Seele an die Liebe rühren. Familien-Stellen mit Eltern und Pflegeeltern behinderter Kindern
1 VHS-Kassette. 1998. 2 ½ Stunden.
ISBN 3-89670-064-2. Carl-Auer-Systeme Verlag
Das Video zum gleichnamigen Buch.

Wenn ihr wüsstet, wie ich euch liebe. Wie schwierigen Kindern durch Familien-Stellen und Festhalten geholfen werden kann.

Zusammen mit Jirina Prekop 1998
2. Auflage 1998. 276 Seiten. ISBN 3-466-30470-9. Kösel-Verlag
Manche Kinder fordern ihre Umwelt in besonderem Maße heraus.
Jirina Prekop und Bert Hellinger erkannten, daß die Gründe oftmals
im Verborgenen liegen und Ergebnis einer gestörten Ordnung des
familiären Systems sind. Anhand von neun Fallgeschichten zeigen
sie, wie Betroffene ihre Familien aufgestellt haben, um mögliche
systemische Verstrickungen aufzudecken, und wie die Festhaltethe-
rapie ermöglichte, das Erlebte emotional nachzuvollziehen. Ein-
drucksvoll erfährt der Leser, wie beide Methoden helfen, die Liebe
zwischen Eltern und Kindern zu erneuern.

**Kindliche Not und kindliche Liebe. Familien-Stellen und
systemische Lösungen in Schule und Familie**
Hrsg. von Sylvia Gòmez-Pedra unter Mitwirkung von
Bert Hellinger 2000
224 Seiten. ISBN 3-89670-149-5. Carl-Auer-Systeme Verlag
Gestörtes und auffälliges Verhalten von Kindern bringt Eltern und
andere erwachsene Begleiter oft an den Rand ihrer Kräfte, löst
Aggressionen und Unverständnis aus und endet nicht selten in
einem Ausschluß des schwierigen Kindes aus dem normalen Umfeld. Dieses Buch bietet hier konkrete Hilfe an. Die Autoren bringen
ihre vielfältigen Erfahrungen als Therapeuten, Lehrer und Eltern
ein, um zusammen mit den Betroffenen hinter Verhaltensstörungen
und Krankheiten bei Kindern zu schauen. Werden einmal jene
Beweggründe erkannt, die Kinder tatsächlich in auffälliges Verhalten treiben, so lassen sich auch die Kraftquellen in der Familie
erschließen, aus denen ihnen Ruhe und Sicherheit zukommt.

**Organisationsberatung und Organisationsaufstellungen.
Werkstattgespräch über die Beratung von (Familien-)Un-
ternehmen, Institutionen und Organisationen. 26 Fragen an
Bert Hellinger**
Interview: Johannes Neuhauser
1 VHS-Kassette. 1998. 35 Minuten.
ISBN 3-89670-077-4. Carl-Auer-Systeme Verlag

Literarisches

Rainer Maria Rilke: Duineser Elegien

Eingeführt und gelesen von Bert Hellinger
Doppel-CD. 135 Minuten.
ISBN 3-89670-169-X. Carl-Auer-Systeme Verlag

Rilkes *Duineser Elegien* und seine *Sonette an Orpheus* haben Bert
Hellinger lange begleitet. Hellinger führt die Hörer in diese Dich-
tungen ein und liest Rilkes Werke einfühlsam und gesammelt, so
daß ihr Sinn sich der Seele erschließt.

Die *Duineser Elegien* sind Klagelieder, und zwar von jener seltsamen
Art, die den Verlust, den sie beklagen, am Ende als Fortschritt und
Vollendung erscheinen lassen. In den *Duineser Elegien* stellt sich
Rilke den letzten Wirklichkeiten: dem Tod, der Verwandlung und
dem Sinn – und fügt sich ihnen; doch so, daß er dennoch das uns
verbleibende Hiesige feiert und preist.

Rainer Maria Rilke: Sonette an Orpheus

Eingeführt und gelesen von Bert Hellinger
Doppel-CD. 90 Minuten.
ISBN 3-89670-168-1. Carl-Auer-Systeme Verlag

Die *Sonette an Orpheus* atmen die gelöste Klarheit der Vollendung.
Was Rilke in den *Duineser Elegien* erst nach langem inneren Ringen
gelang, wird hier ohne Bedauern bejaht und gefeiert: das Ganze des
Daseins, wie es sich wandelt im Entstehen wie im Vergehen und
Lebende wie Tote gleichermaßen umfaßt. Als Sinnbild für dieses
Ganze dient Rilke die Figur Orpheus. In ihm verdichten sich beide
Bereiche zu Musik und Gesang.

Der späte Rilke. Der Weg zu den Elegien und Sonetten

Von Dieter Bassermann. Mit einem Vorwort von Bert Hellinger
2000
268 Seiten. ISBN 3-89670-134-7. Carl-Auer-Systeme Verlag

Die großartigen Visionen in Rilkes *Duineser Elegien* und den *Sonetten
an Orpheus* haben sich in der intensiven Begegnung mit menschlichen Schicksalen als wegweisend und hilfreich erwiesen. Vielen

gewagten Schritten, die Hellinger beim Familien-Stellen geht, liegen Einsichten zugrunde, die sich ihm aus diesem Buch eröffneten. Sie lösten am Ende in den Beteiligten Erfahrungen aus, die weit über den unmittelbaren Anlaß und die naheliegende Lösung hinauswiesen. Andererseits hat das Familien-Stellen viele der gewagten Aussagen Rilkes als gültige Erfahrungen und Einsichten bestätigt.

Zeitschrift

Praxis der Systemaufstellung. Beiträge zu Lösungen in Familien und Organisationen
Erscheint zweimal jährlich. Abonnement, Versand und Information: Internationale Arbeitsgemeinschaft (AG) Systemische Lösungen nach Bert Hellinger e.V., c/o Akademie im Park, Heidelberger Str. 1a, D-69168 Wiesloch

Fremdsprachige Ausgaben

In englischer Sprache sind folgende Bücher erhältlich:

Love's Hidden Symmetry. What Makes Love Work in Relationships
Bert Hellinger / Gunthard Weber / Hunter Beaumont 1998
352 pages. ISBN 1-891944-00-2.
Carl-Auer-Systeme Verlag / Zeig, Tucker & Co, Inc.
Bert Hellinger, Gunthard Weber and Hunter Beaumont have collaborated to present a beautiful collage of poetry, healing stories, transcripts of psychotherapeutic work and moving explanations of the hidden dynamics and symmetry love follows in intimate relationships. Original and provocative enough to change how you think about familiar themes.

Touching Love. Bert Hellinger at Work with Family Systems. Documentation of a Three-Day-Course for Psychotherapists and their Clients 1997

186 pages. ISBN 3-89670-022-7. Carl-Auer-Systeme Verlag

Bert Hellinger demonstrates the Hidden Symmetry of Love operating unseen in the lives of persons suffering with serious illness and difficult life circumstances. This book is a full documentation of a workshop for professionals held near London in February, 1996.

Touching Love (Volume 2). A Teaching Seminar with Bert Hellinger and Hunter Baumont 1999

256 pages. ISBN 3-89670-122-3

Carl-Auer-Systeme Verlag and Zeig, Tucker & Co, Inc.

This book contains the written documentation of a three-day-course for psychotherapists and their clients. It offers mental health professionals and interested non-professional readers a look in slow-motion at Bert Hellinger and Hunter Beaumont at work.

Acknowledging What Is. Conversations with Bert Hellinger 1999

162 pages. ISBN 1-891944-32-0. Zeig, Tucker & Co, Inc.

Deepen your understanding of Hellinger's transformative ideas on the »Natural Orders of Love« with his latest work – a moving dialog between the tough-minded journalist and the »Caretaker of the Soul«.

Coming soon: **Supporting Loves** (»Wie Liebe gelingt« in english)

Six English-language videos documenting Bert Hellinger's work are available in the series *Love's Hidden Symmetry* (Volume 1 to 6):

   in PAL (European) format from Carl-Auer-Systeme Verlag

   in NTSC (American) format from Zeig, Tucker & Co., Inc.,

   (1935 East Aurelius Avenue, Phoenix, AZ 85020-5543,

   Fax ++1 602 944-8118)

Adoption (Volume 1)

1 VHS-Cassette. 90 minutes. ISBN 3-89670-072-3

Hellinger demonstrates how »love's hidden symmetry« can guide families in distress. In this case, workshop participants who are dealing with problems related to adoption discover ways to support hopeful alternatives in their lives.

Honoring the Dead and Facing Death (Volume 2)

1 VHS-Cassette. 80 minutes. ISBN 3-89670-154-1

Three different family constellations are presented to reveal the depth and power of this approach as family members struggle to deal with the difficult issues of death and dying.

Blind Love – Enlightened Love (Volume 3)

1 VHS-Cassette. 75 minutes. ISBN 3-89670-155-X

This presentation shows how children's blind love for their parents perpetuates family dysfunction. In three family constellations Hellinger demonstrates how this love can be transformed into the enlightened love that supports well-being.

Grieving for Children (Volume 4)

1 VHS-Cassette. 70 minutes. ISBN 3-89670-156-8

In this powerful video, four different family systems move toward resolution in the wake of the loss of a child.

Trans–Generational Systemic Effects (Volume 5)

1 VHS-Cassette. 70 minutes. ISBN 3-89670-157-6

Hellinger guides participants toward restoration of the flow of love that nurtures growth when entanglements across generations have disrupted it.

Hidden Family Dynamics (Volume 6)

1 VHS-Cassette. 70 minutes. ISBN 3-89670-158-4

Four family constellations show the harmful identifications that children sometimes have with parents and grandparents. Hellinger works with participants to acknowledge hidden dynamics and to discover healthy ways to recover compassion and love.

Holding Love. A Teaching Seminar on Love's Hidden Symmetry

3 Volumes. Length 7 hours

in PAL (European) format from Carl-Auer-Systeme Verlag,
ISBN 3-89670-173-8
in NTSC (American) format from Zeig, Tucker & Co., Inc.,
ISBN 1-891944-75-4
(1935 East Aurelius Avenue, Phoenix, AZ 85020-5543,
Fax ++1 602 944-8118)

The professional Reference Series documents Bert Hellingers resolution-oriented approach to working with intimate relationship systems. The series is intended primarily for practitioners who wish to learn this approach. »Holding Love« was recorded in San Francisco (1999). The participants are mental health professionals and their clients, and the work covers a wide range of issues.

Healing Love. A Teaching Seminar on Love's Hidden Symmetry

3 Volumes. Length 7 hours

in PAL (European) format from Carl-Auer-Systeme Verlag,
ISBN 3-89670-174-6
in NTSC (American) format from Zeig, Tucker & Co., Inc.,
ISBN 1-891944-76-2
(1935 East Aurelius Avenue, Phoenix, AZ 85020-5543,
Fax ++1 602 944-8118)

»Healing Love« was recorded in Washington (1999). Like »Holding Love« it is intended primarily for practioners who wish to learn this approach. The participants are mental health professionals and their clients, and the work covers a wide range of issues.

In französischer, italienischer, spanischer und portugiesischer Sprache sind folgende Bücher erhältlich:

Les liens qui libèrent. La thérapie familiale systémique selon Bert Hellinger
Gunthard Weber (ed.) 1999
Edition Jacques Grancher, Paris
Die französische Ausgabe von »Zweierlei Glück«.

Riconoscere ciò che è
Urra Apogeo, Milano
Die italienische Ausgabe von »Anerkennen, was ist«.

Felicidad Dual. Bert Hellinger y su psicoterapia sistémica
Gunthard Weber (ed.) 1999
Empresa Editorial Herder, S.A.
Die spanische Ausgabe von »Zweierlei Glück«.

Recononocer lo que es
Empresa Editorial Herder, S.A.
Die spanische Ausgabe von »Anerkennen, was ist«.

A Simetria Oculta do Amor. Por que o amor faz os relationamentos darem certo
Bert Hellinger / Gunthard Weber / Hunter Beaumont 1999
Editoria Cultrix Sao Paolo
Die portugiesische Ausgabe von »Love's Hidden Symmetry«.

Auf Griechisch ist eine Übersetzung von »Love's Hidden Symmetry« erhältlich.

Verwandte Veröffentlichungen

Bücher im Carl-Auer-Systeme Verlag

Derselbe Wind läßt viele Drachen steigen. Systemische Lösungen im Einklang
Herausgegeben von Gunthard Weber (in Vorbereitung)
ca. 400 Seiten. ISBN 3-89670-124-X
Dieser Band enthält alle wichtigen Beiträge der 2. Arbeitstagung »Systemische Lösungen nach Bert Hellinger« im April 1999 in Wiesloch. Er dokumentiert einerseits das Tagungsmotto »Derselbe Wind läßt viele Drachen steigen«, zeigt aber auch, wie sich die Aufstellungsarbeit auf wesentliche Themen menschlicher Schicksale und menschlicher Existenz verdichtet.

Praxis der Organisationsaufstellungen 2000
Herausgegeben von Gunthard Weber
ca. 288 Seiten. ISBN 3-89670-117-7
Dies ist das erste Buch, das sich mit der Übertragung der Aufstellungsarbeit Bert Hellingers auf unterschiedlichste Aspekte von Organisationen befaßt. Es ist faszinierend zu erfahren, wie in Organisationsaufstellungen – ähnlich wie beim Familien-Stellen – mit Hilfe der Stellvertreter zentrale Dynamiken der aufgestellten Organisationen ans Licht treten und anschließend durch die Entwicklung von Lösungsaufstellungen wichtige und oft lang anhaltende Veränderungsanstöße gegeben werden können.

Systemdynamische Organisationsberatung. Handlungsanleitung für Unternehmensberater und Trainer 2000
Von Klaus Grochowiak und Joachim Castella
ca. 320 Seiten. ISBN 3-89670-180-0
Dieses Buch stellt eine völlig neue Form der Organisations- und Unternehmensberatung vor. Die Autoren übertragen die systemisch-phänomenologische Methode Bert Hellingers aus dem Kontext der Familientherapie auf Bereiche der Unternehmens- und Organisationsberatung. Die systemdynamische Organisationsberatung wird dabei erstmals in Theorie und Praxis vorgeführt.

Ach wie gut, daß ich es weiß. Märchen und andere Geschichten in der systemisch-phänomenologischen Therapie
2000
Von Jakob Robert Schneider und Brigitte Gross
140 Seiten. ISBN 3-89670-137-1
Die Autoren stellen zunächst die Grundlagen der phänomenologisch-systemischen Psychotherapie dar, wie sie von Bert Hellinger praktiziert wird, und fassen die Prozesse zusammen, die sich aus den Bindungen und Verstrickungen in Familien ergeben. Im zweiten und dritten Teil des Buches beschreiben sie die Vorgehensweise der Geschichten-Arbeit und illustrieren an Fallbeispielen die systemische Bedeutung einiger Märchen sowie die Wirksamkeit ihrer Aufdeckung.

Buch im Kösel-Verlag

Der Mann, der tausend Jahre alt werden wollte. Märchen über Leben und Tod aus Sicht der Systemischen Psychotherapie Bert Hellingers
Von Thomas Schäfer 1999
160 Seiten. ISBN 3-466-30500-4
Thomas Schäfer zeigt in diesem Buch verblüffende Parallelen zwischen Märchen und der Systemischen Psychotherapie Bert Hellingers. Es stärkt die Lebenskraft, wenn man die Toten achtet und sich liebevoll an sie erinnert.

Buch im Goldmann Verlag

Ohne Wurzeln keine Flügel. Die systemische Therapie von Bert Hellinger
Von Bertold Ulsamer 1999
4. Auflage 2000. 254 Seiten. ISBN 3-442-14166-4
Dieses anschauliche Einführungsbuch von einem erfahrenen Therapeuten faßt die wesentlichen Aspekte des Familien-Stellens und der durch sie ans Licht gebrachten Ordnungen zusammen und vertieft sie durch eigene Erfahrungen, zum Beispiel in Gefängnissen und in anderen Kulturen.

Buch im Droemer Knaur Verlag

Was die Seele krank macht und was sie heilt. Die psychotherapeutische Arbeit Bert Hellingers
Von Thomas Schäfer 1998
3. Auflage 2000. 272 Seiten. ISBN 3-426-87029-0
Dieses Buch wendet sich an eine breitere Öffentlichkeit. Es faßt zusammen, was Bert Hellinger lehrt, und erläutert an vielen Beispielen seine wichtigsten Vorgehensweisen.

Buch im Profil Verlag

Systemische Familienaufstellung
Von Ursula Franke 1996
2. Auflage 1997. 183 Seiten. ISBN 3-89019-413-3
Dieses Buch handelt von der Theorie und Praxis der Familienaufstellungen. Es gibt einen fundierten Überblick, welche Therapieformen den geschichtlichen Hintergrund für diese Methode bilden, und würdigt hierbei insbesondere die Arbeit von Bert Hellinger.